DIE SPIELUHR

EINE NOVELLE VON

ULRICH TUKUR

DIE SPIELUHR

EINE NOVELLE VON

ULRICH TUKUR

NACH EINER WAHREN BEGEBENHEIT

BERLIN MMXIII ULLSTEIN

FÜR KATHARINA

»Die Wirklichkeit ist der Schatten der Kunst. Es geht also nicht um die Wiedergabe der Wirklichkeit, sondern um die Beschwörung des Mysteriösen, die Anrufung der verborgenen Seele der Menschen und Dinge.«

— FRIEDRICH VON ROTHA

WIE DAS LEBEN IN DER RÜCKSCHAU aus einer Flut visueller Erinnerungen besteht, keinem rationalen System und ständiger Verwandlung unterworfen, so besteht ein kinemathographischer Film aus einer Unzahl systematisch montierter, unveränderlicher Bilder, die zusammengesetzt eine mehr oder weniger ergreifende Geschichte ergeben.

Ich bin Schauspieler, und um eine solche Geschichte zu erzählen, die die sonderbare Beziehung zweier durch alle Raster der Gesellschaft gefallener Menschen zum Gegenstand hatte, war ich auf Einladung einer Pariser Filmfirma vor einiger Zeit nach Frankreich gefahren und hatte in einem kleinen Dorf bei Meaux Quartier bezogen.

Das Zimmer, in dem ich wohnte, war die ehemalige Badekabine eines Schwimmbads, das sich am Ufer der Marne befand und irgendwann in ein Hotel umgebaut worden war.

Unterhalb der Wohnanlage floß still und träge der Fluß.

Bog man das dichte Gestrüpp an seinem Ufer auseinander, so zeigten sich unter den Ästen und Zweigen müde herabhängender Weidenbäume die Reste eines Schwimmbeckens, das einen Zugang zum offenen Wasser hatte und jetzt voller Frösche und reglos am schlammigen Grunde verharrender Fische war.

Etwas weiter flußabwärts stand ein Sprungturm aus porösem Stein, moosgrün sein Anstrich, jedoch vom Licht unzähliger Sommertage gebleicht, von Winterfrösten abgeblättert und an vielen Stellen kaum noch sichtbar.

Die Treppe, die hinauf zur Plattform führte, war eingestürzt, und am unteren Teil des verwitterten Geländers baumelte eine Kette, die angebracht worden war, als das Bad aufgegeben wurde und verhindern sollte, daß noch irgendwer hinaufstieg.

Aber niemand hatte mehr einen Sprung ins trübe

Wasser des Flusses getan, und so war sie dort hängengeblieben, eine stumm vor sich hin rostende Erinnerung an Zeiten, da die Sommerluft erfüllt war vom Lärm und Lachen unzähliger Kinder, die im Wasser spielten oder auf dem Turm herumsprangen und sich schreiend in die Tiefe stürzten.

AN EINEM JENER HEITEREN, friedvollen Sommertage vor dem großen Sturm, der das alte Europa für immer hinwegfegte, spazierte ein elegant gekleideter Herr nicht weit von jener Stelle das grüne Ufer der Marne entlang.

Er trug einen modischen Strohhut mit geschwungener Krempe und blaßblauem Band, einen grauen, schmal geschnittenen Anzug, dazu Stiefeletten aus zweifarbigem Leder, hielt einen Grashalm zwischen den Lippen und seine Hände auf dem Rücken verschränkt.

Als er auf eine kleine Anhöhe kam, unter der der Fluß eine Biegung nahm, hob er den Kopf und schaute hinauf zu den weißen Wolken, die wie barocke Schiffe lautlos und in ungeheuren Höhen durchs Blau des Himmels segelten. Sie erinnerten ihn an Gemälde von Constable oder Corot, und um sie genauer zu betrachten, blieb er stehen, zog den Hut vom Kopf und legte sich ins Gras.

Der Sommerwind strich ihm sanft übers Gesicht, und als er nach einer Weile die Augen schloß, war sofort das kleine Bild wieder da, das er am Tag zuvor in der Wohnung seiner Vermieterin zufällig gesehen und ihr sogleich abgekauft hatte.

Ein Holztäfelchen, nicht viel größer als ein Blatt Papier, auf dem vor braunem Hintergrunde ein paar bunte Blumen gemalt waren.

Die Art der Ausführung verriet weder großes Talent noch technische Erfahrung, aber ihre schlichte Schönheit hatte ihn angerührt, und ihm schien etwas hinter diesem kindlichen Bilde zu schweben, das von einem Abgrund zeugte, der sich am deutlichsten in den fünf Blütenkelchen zeigte, die wie schwarze Sterne waren, aus denen Feuerschweife schlugen, oder auch Augen, die ihn aus dunkler Tiefe angstvoll anblickten.

»Verzeihen Sie, aber wer hat dieses Bild gemalt?« hatte er Madame Duphot gefragt, die ihm die große Wohnung im Unterstock ihres Hauses in Senlis für zwei Sommer zu vermieten geneigt gewesen war und bei der er nun zu Abend aß.

Und weil in seiner Stimme etwas Erregtes mitschwang, hatte sie ihn erstaunt angesehen, war der Richtung seiner Augen gefolgt und zeigte nun auf das bemalte Holztäfelchen, welches am Boden neben der

Anrichte lehnte und gerade genug Licht auf sich zog, daß man es erkennen konnte.

»Ach das? Das ist nichts, Monsieur Uhde ... Séraphine hat es mir geschenkt, Sie wissen doch, Ihre Putzfrau, sie malt. Nun ja, was man so malen nennt. Heutzutage tut das fast jeder, es ist geradezu eine Epidemie!

Sie ist ein wenig verrückt, wissen Sie, aber herzensgut und tut niemandem etwas zuleide.

Nehmen Sie es mit, wenn Sie es haben wollen, François wollte es schon wegwerfen ...«

Und während sie ihm noch auseinandersetzte, daß Séraphine nie ohne ihren zerdrückten, schwarzen Strohhut ausging und die Bewohner ihres Hauses mit den frommen Gesängen, die sie beim Malen anstimmte, allmählich in den Wahnsinn trieb, sich beim Metzger kein Fleisch kaufte, sondern nur Ochsenblut erbettelte, welches sie in ihre Farben rühre, war er aufgestanden, hatte das Stilleben mit den fünf Blumen vom Boden genommen und hielt es nun ins Licht der über dem Tisch hängenden Gaslampe.

SO SCHLICHT ES GEMALT WAR, es besaß doch die gleiche Magie, die er auch bei Rousseau, dem Zöllner, oder Vivin und Bombois gespürt hatte und deren Gemälde nun die Wände seiner Pariser Wohnung zierten.

Das kleine Bild zeigte, was es nicht zeigte.

Und genau das schien ihm das Wesen jedes wahren Kunstwerks, daß sich nicht alles, der Tiefe entbehrend, an der Oberfläche zusammendrängte, daß die innere Welt, die diesen Ausdruck hervorgebracht hatte, im Unsichtbaren vorhanden blieb, ja ihren weitaus größten Teil ausmachte.

Er mußte lächeln und an Picasso denken, der mit Braque und anderen Künstlern ein verwahrlostes Haus im Bateau-Lavoir am Montmartre bewohnte und unverkäufliche Bilder produzierte, die meist in ein melancholisches Blau, neuerdings in Rosa getaucht waren. Er – Wilhelm Uhde, und darauf war er ein wenig stolz – hatte sofort gespürt, daß sich hier ein ganz Großer anschickte, die Welt der Kunst zu erobern, und ihm ein Bild abgekauft, das ihn faszinierte, ja erregte, weil es frech die Strukturen der gemalten Gegenstände zerlegte, so daß nichts als Kreise, Kegel und Zylinder übrigblieben. Und doch blieb es in seiner Essenz nicht nur erhalten, es verstärkte sogar seine Wirkung. Ähnliches hatte er schon in den letzten Bildern des großartigen Cézanne gefunden, aber nun führte dieser Spanier hier eine Linie fort, von der er nur zu gerne gewußt hätte, wo sie hinführte …

PLÖTZLICH WURDE ES HELL im Raum, er schreckte aus seinen Gedanken auf und vernahm das Fauchen einer auflodernden Flamme.

»Monsieur Uhde, möchten Sie nicht ein Stück von meinem Omelette Norvegienne probieren?«

Madame Duphot lächelte ihn verheißungsvoll an und hielt ihm ein Ungetüm von Nachspeise vors Gesicht, das sie auf ihrer Anrichte flambiert hatte.

Er bedankte sich höflich, entschuldigte sich wortreich und verlegen, er müsse noch etwas erledigen, das keinen Aufschub dulde, bat sie, den Preis des Bildes auf die monatliche Miete aufzuschlagen, und stieg mit schlechtem Gewissen und klopfendem Herzen die Treppe hinunter in seine Wohnung.

Das kleine Bild stellte er auf die Ablage seines Kamins, entzündete rechts und links davon je eine Kerze, und nachdem er es noch einmal eingehend betrachtet und seine Wirkung überprüft hatte, beschloß er, Séraphine gleich am nächsten Morgen zu bitten, ihm all ihre Bilder zu zeigen.

SO VERBANDEN SICH AN diesem heißen Augustabend des Jahres 1912 die Lebenslinien zweier Menschen, die unterschiedlicher nicht hätten sein können und sich doch trafen in ihrer Verlorenheit und Sehnsucht nach einer schöneren Welt, die nur in der Malerei oder der Musik zu haben war.

Uhde, der aus der Neumark stammende großbürgerliche Preuße, bis in die Haarspitzen gebildet, schlank, hochgewachsen, mit schmalem, gut geschnittenem Gesicht und sanften, grauen Augen, die auch dann traurig blieben, wenn er lächelte, hatte Rechtswissenschaften in München und Zürich, später Kunstgeschichte in Florenz studiert, einen Roman geschrieben und war 1904 nach Paris gezogen, um in der französischen Republik die Freiheit und Geistesweite zu finden, die er in seinem wilhelminischen Vaterlande so schmerzlich vermißte. Er, der die Männer den Frauen vorzog (in jenen Jahren nichts weniger als ein Verbrechen), war entflammt für die moderne Kunst seiner Zeit, für all diejenigen, die neue, überraschende Wege gingen, die Naiven, denen er den hübschen Namen »Maler des Heiligen Herzens« gab; er kaufte Bilder, eröffnete eine Galerie, entdeckte, sammelte, förderte und setzte durch, was in den wichtigen, offiziellen Kreisen oft verlacht und gerne niedergemacht wurde.

War es nicht ein göttliches Zeichen (er glaubte nicht wirklich an Gott) –, wurde er also nicht aufs schönste für seine Mühen und Hingabe belohnt, da das Schicksal ihm nun einen Menschen in Gestalt seiner Putzfrau zuführte, von dem er das Gefühl hatte (und es trog ihn fast nie), etwas Tiefes, ursprünglich Reines schlummere in ihm und daß er – Wilhelm – es nun zu erwecken bestimmt war?

SÉRAPHINE WAR DAS GEGENTEIL dessen, was man als schön und edel bezeichnen würde. Groß, massig, mit grobgeschnittenem, bäuerlichem Gesicht, lief sie in derben Gewändern, abgetragenen Stiefeln, den zerknautschten Strohhut auf dem Kopf, durch die staubigen Straßen von Senlis, drückte ihr mächtiges Hinterteil heraus, redete mit sich selbst, fing unvermittelt an, Psalmen zu singen, und drohte den Kindern, die sie verfolgten und mit Steinen und Dreck bewarfen, mit erhobener Faust.

Sie war hineingeboren in eine mittelalterlich-bäuerliche Welt, die noch nach zyklischer Zeit funktionierte, hatte als Kind das Vieh ihres Dorfes gehütet und schon früh den Spott und die Herzlosigkeit einer Welt zu spüren bekommen, die mit Vorliebe diejenigen bestraft, die keinen Platz in ihr finden und sprachlos und verwirrt am Rande stehen.

Zu der Zeit, als Wilhelm Frankreich erreichte, war ihr ein Engel erschienen, der ihr auftrug, mit der Malerei zu beginnen.

Und das tat sie mit Inbrunst und religiöser Hingabe.

Gott war überall dort, wo die Menschen nicht hinkamen, in jedem Baum, in jeder Pflanze, er schwebte in den Wolken über der Picardie, rauschte im Bach hinter der Stadt, den sie aufsuchte, um zu baden, und weil an seinem Ufer im Schatten tiefhängender Weiden Kräuter wuchsen, die sie zum Herstellen lebensverlängernder Elixiere und zum Anrühren von Farben benutzte.

Wenn sie sich in ihre Kammer einschloß, um zu malen, sprach sie mit ihm, entzündete Kerzen und Weihrauch, betete, und die Heilige Jungfrau löste sich aus dem goldenen Rahmen eines über ihrem Bett hängenden Kirchenbildchens und trat neben sie, um ihr zu zeigen, wie man den Pinsel am besten führte, und alles war Lob der Natur, und im üppigen Blattwerk der Bäume, die auf der Leinwand Wurzeln schlugen, wuchsen und gelb, smaragdgrün und rot leuchteten, sangen die Engel und sahen sie aus umwimperten Augen freundlich an.

WILHELM NAHM SICH IHRER AN, besorgte Farben und Leinwände (die neuen, industriell hergestellten Ölfarben allerdings lehnte sie ab), gab ihr Geld, machte ihre Bilder, die von Mal zu Mal größer und ausdrucksvoller wurden, in Paris bekannt, fing an sie zu verkaufen – da zwang die Katastrophe des Ersten Weltkrieges, die wie ein alles zerstörendes Beben über die Menschheit kam, ihn, den deutschen Staatsbürger, Frankreich fluchtartig zu verlassen. Seine einzigartige Sammlung moderner Kunst wurde beschlagnahmt, unter Wert veräußert und in alle Winde zerstreut.

Zehn Jahre später kehrte er zurück, und noch einmal verbanden sich die Lebenswege dieser beiden sonderbaren Menschen, um schon bald danach von einem gnadenlosen Schicksal erneut und endgültig auseinandergerissen zu werden, das ihn auf den Boden einer noch härteren politischen Wirklichkeit und sie in die Bodenlosigkeit des Wahnsinns fallen ließ.

Die Geschichte von Wilhelm und Séraphine ist traurig wie viele Geschichten, die sich auf diesem Planeten ereignen.

Aber weil etwas Wunderbares in ihr vorkommt und eine nicht unwesentliche Rolle spielt, eine zarte Liebe nämlich und der Glaube an die Schönheit, die über die Häßlichkeit und all unsere Ängste triumphiert, darum kann man sie immer neu erzählen, und eben darum kam auch eines Tages ein Mensch aus Paris nach Dilbeek, einem schauerlichen Flecken in einer der unwirtlichsten Gegenden Flanderns, wo ich gerade einen Film drehte mit dem Titel »Où est la main de l'homme sans tête?«, um sich zu erkundigen, ob ich mir vorstellen könne, Wilhelm Uhde in einem von ihm selbst geschriebenen, übrigens auch finanzierten Spielfilm zu verkörpern.

Ich sagte zu, und schon ein Vierteljahr später bezog ich die kleine Badekabine in Trilport.

DIE DREHARBEITEN FANDEN in Senlis statt, einem mittelalterlichen Städtchen am Rande der Picardie, in dem Séraphine einen großen Teil ihres Lebens verbracht hatte, aber auch in den anmutigen Tälern der Oise, der Seine und der Marne, dort, wo französische Maler Ende des neunzehnten Jahrhunderts in die Natur hinausgegangen waren, um einen flirrenden, farbenprächtigen Stil zu entwickeln, den man später Impressionismus nannte.

Nach Séraphines Unterkunft aber hatte man lange gesucht, und weil es eine heruntergewohnte Kammer aus morschem Holz, rissigem Mörtel, sichtbarem Geruch und voll wunderlicher Details sein sollte, kam auch kein Studioaufbau in Frage.

François, der Filmarchitekt, und sein Ausstatter Frédéric waren verzweifelt. Sie hatten Dutzende Häuser und Wohnungen besichtigt, Kollegen losgeschickt, viel telephoniert und sogar mit dem Gedanken gespielt, ein leerstehendes, in Teilen zusammengebrochenes Bauernhaus wieder herzurichten.

Philippe, der Regisseur und Drehbuchautor, war mit keinem der Vorschläge zufrieden, er lehnte alles ab und hatte gute Argumente. Seine Vorstellung dieses für den Film so zentralen Raumes war so entschieden, daß er sich nicht darauf einließ, sie an einen wie auch immer gearteten Kompromiß zu verraten.

Es gab heftige Auseinandersetzungen, und François drohte mehr als einmal damit, alles hinzuwerfen und abzureisen.

Die Tage flogen dahin, wie es immer geschieht, wenn sie angefüllt sind mit leidenschaftlicher Arbeit und der Suche nach Lösungen kniffliger Probleme.

AN EINEM FREITAG ANFANG September drehten wir eine Filmszene im verträumten Tal der Epte, in herrlicher, fast unberührter Natur.

Es ist einer jener milden, leuchtenden Spätsommertage, an denen die Natur in Ruhe Kraft für die Ernte des Herbstes sammelt.

Wilhelm Uhde flaniert auf einem seiner ausgedehnten Spaziergänge über eine kleine, steinerne Brücke, die ein rauschendes Flüßchen überspannt, und erblickt plötzlich seine Putzfrau, die keine zehn Meter von ihm entfernt splitternackt in der rasch dahintreibenden Strömung badet.

Erschreckt zieht er sich zurück und versteckt sich hinter einem Baum, während Séraphine, mit den Wellen und Wirbeln des Wassers spielend und ganz in ihre Welt versunken, lateinische Kirchenlieder anstimmt. Ihre Stimme erhebt sich dunkel und warm, sie schwebt über der glitzernden Oberfläche des Wassers als sei sie lebendiger Teil der Natur wie der Fluß oder der Wind, der sanft durch die Blätter der Bäume streicht.

Am frühen Abend war Drehschluß, das Licht hatte sich geändert, Wolken waren aufgezogen, und Laurent, der Kameramann, entschied, es sei zu dunkel, um weiter zu photographieren.

Philippe dankte allen, wünschte ein schönes Wochenende und schickte seinen Assistenten Jean-Luc ins Kopierwerk nach Paris.

Er selbst zog sich mit François zurück, denn Mitte der kommenden Woche sollten die Szenen in Séraphines Kammer gedreht werden.

Das Problem des noch immer nicht vorhandenen Drehorts wurde jetzt in der Tat drängend.

Auf dem Weg zum Wohnwagen, in dem die Kostümabteilung untergebracht war, sah ich Jean-Luc. Er war ein hübscher, etwas sprunghafter, aber phantasievoller junger Mann von fünfundzwanzig Jahren, den alle ins Herz geschlossen hatten.

Er verstaute zwei Aluminiumkoffer mit den zu entwickelnden Filmen auf der Rückbank seines Autos.

Dann stieg er ein, winkte mir zu und fuhr davon.

AM DARAUFFOLGENDEN MONTAG wurde ich bereits um sechs Uhr früh in Trilport von meinem Fahrer abgeholt und nach Senlis gebracht.

Bevor ich in die Maske ging, die sich gleich neben dem Produktionsbüro in einem ehemaligen Gendarmeriegebäude befand, wollte ich Philippe sprechen, um eine Unklarheit im Drehbuch zu beseitigen.

Als ich ins Büro trat, bemerkte ich, daß etwas nicht stimmte.

Philippe grüßte knapp, fast unfreundlich, alle anderen standen betreten herum und schwiegen.

Ich fragte nach dem Grund dieser Mißstimmung und erfuhr, daß Jean-Luc mit dem gesamten Filmmaterial der letzten zwei Arbeitstage spurlos verschwunden sei; das Kopierwerk habe bereits am Samstag früh Alarm geschlagen, alle Nachforschungen seien aber ohne Erfolg geblieben, und jetzt könne man nur warten und hoffen, daß er wieder auftauche.

Philippe saß da mit rotem Kopf und zusammengekniffenen Lippen. Auch wenn es ihm sichtlich schwerfiel, sich zu beherrschen, so war ja nicht ganz auszuschließen, daß sein Assistent ohne eigenes Verschulden an irgendeinem obskuren Ort verunglückt sein könnte.

Ich beschloß, mein Anliegen später vorzutragen. Jean-Luc würde sicher wieder aufkreuzen, wahrscheinlich gab es eine ganz banale Erklärung für sein Verschwinden.

Ich verließ das Büro und wollte eben hinüber in den Maskenraum gehen, als Jean-Lucs Auto auf den Hof gerast kam und quietschend anhielt. Er sprang heraus, stürzte ohne zu grüßen an mir vorbei und verschwand im Produktionsbüro.

Ich war erschrocken, denn er sah miserabel aus, bleich und übernächtigt, und schien hochgradig erregt.

Vorsichtig folgte ich ihm, öffnete die Tür, die er hinter sich zugeschlagen hatte, einen Spaltbreit, um zu hören, was geschehen war und wie Philippe reagieren würde.

Ohne auf die finstere Stimmung einzugehen, die ihm im Büro entgegenschlug, hatte Jean-Luc sofort angefangen zu reden, und seine Stimme überschlug sich fast dabei.

Er hatte sichtlich Angst vor Philippe, dessen bösartiges Temperament er nur zu gut kannte, und er wollte ihm keine Gelegenheit zum Angriff bieten, sondern sofort die Bombe zünden, von der er sicher war, daß sie alle zum Schweigen brächte.

»Leute, ihr werdet's mir nicht glauben, aber ich habe

ihr Zimmer gefunden! Séraphines Zimmer!! Perfekter geht's wirklich nicht, als hätte sie dort gelebt! Es ist nicht weit von hier, ein paar Kilometer hinter Aumont, wir müßten nur hinfahren. Der Besitzer hat mir schon zugesagt. Wir können das Zimmer haben, wir müssen nur die Details regeln, Formsache, Leute! Und das Größte: Wir kriegen es umsonst! Ich ...«

»Wo bist du gewesen?« Philippe erhob sich drohend hinter dem Schreibtisch.

Er sprach leise, aber kochte innerlich vor Wut.

»Du bist wohl vollkommen durchgeknallt, Bonnard?!«

»Tut mir leid, Philippe, ich versteh' ja, daß du sauer bist ... Dann sehen wir die Muster eben ein paar Tage später ... aber jetzt ist doch wenigstens der Drehort da! Er ist wirklich gut, Philippe, es paßt alles ...«

»Halt die Luft an, Jean-Luc, und hör mal gut zu!« fauchte ihn Philippe an. »Samstag früh kriege ich einen Anruf aus dem Kopierwerk und falle fast aus dem Bett vor Schreck. Nichts ist eingetroffen, das Material ist nicht da, du bist verschwunden, kein Mensch kann dich telephonisch erreichen, Gilles macht sich Sorgen und mir die Hölle heiß ...

Wir sitzen hier seit halb sechs Uhr und warten auf dich, ist dir das klar?

Ich war schon drauf und dran, die Polizei einzuschalten! Hättest du jetzt vielleicht die Güte, mir zu erklären, wo du verdammt noch mal gesteckt hast?!«

Jean-Luc hob die Schultern, streckte die Arme in ergebener Geste von sich und bekam einen roten Kopf, aber nichts kam über seine Lippen.

»Wo du warst, will ich wissen!!«

»Das ist schwer zu sagen.«

»Machst du dich über mich lustig? Du bist doch sonst nicht auf den Mund gefallen! Scheiße noch mal, Bonnard, was ist nur los mit dir?!«

Philippe war jetzt auf dem besten Wege zu einem seiner gefürchteten Wutausbrüche, aber irgend etwas hinderte ihn daran, dem logischen Verlauf seiner Empfindung nachzugeben.

Jean-Luc blickte zu Boden, als schämte er sich eines zu großen Gefühls.

Dann sagte er leise: »Ich habe etwas gesehen, gestern oder vorgestern nacht, ich weiß nicht mehr ... aber ich habe keine Worte dafür, und auch wenn ich sie fände, würdet ihr nur denken, ich sei verrückt ...«

Er sah einen nach dem anderen an, und seine Augen hatten einen fiebrigen Glanz.

Frédéric schob ihm einen Stuhl hin.

»Also gut ...«, sagte Jean-Luc dann vorsichtig, »... ich will es versuchen.«

Er setzte sich, wischte sich den Schweiß von der Stirn und lächelte unsicher in die Runde.

Dann senkte er den Kopf und begann.

»ICH BIN FREITAG NACH Drehschluß Richtung Paris gefahren, wie immer. Bei Aumont, dachte ich, nehme ich mal eine Abkürzung, die kleine Straße, die am Ende des Dorfes nach rechts abgeht, gleich hinter der Autowerkstatt.

Die bin ich hineingefahren und weiter, immer weiter, an Feldern und Wiesen vorbei, durch schattige Täler und über Hügel, auf denen das letzte Sonnenlicht lag, einen Fluß entlang, über Brücken ohne Geländer, ein altes Stauwehr – und wußte irgendwann einfach nicht mehr, wo ich war. Kein Ortsschild, kein Haus, keine Menschenseele, nichts!

Es fing an dunkel zu werden.

Ich fuhr in einen kleinen Wald, und als ich auf einer Anhöhe herauskam, sah ich rechts von mir im Scheinwerferlicht eine hohe Mauer und nach etwa einhundert Metern ein eisernes Eingangstor, dessen eine Hälfte so schief in den Angeln hing, daß sie herauszubrechen drohte.

Ich hielt den Wagen an und stieg aus.

Als ich durch das Tor trat, erhob sich vor mir ein mächtiges Gebäude mit Türmchen, Giebeln und Kaminen, das sich wie ein düsterer Scherenschnitt gegen den Nachthimmel abzeichnete. Es schien ziemlich heruntergekommen. Das Dach des linken Flügels war eingestürzt.

Plötzlich flammte hinter einem der Fenster im unteren Geschoß Licht auf, und ich sagte mir, geh hin und klopf, vielleicht findest du jemanden, den du fragen kannst, aber dann kamen mir Bedenken. Ich grübelte noch darüber nach, was ich tun sollte, als sich eine niedrige Tür öffnete, die am Fuße eines hohen Turms eingelassen war, und ein Mann heraustrat, vom Alter gebeugt, bärtig, mit schütterem Haar, in der rechten Hand eine Stallaterne, von einer Kerze erleuchtet.

Ich sagte, Monsieur, verzeihen Sie, daß ich hier eingedrungen bin, aber ich habe mich verfahren und so weiter. Er hob die Laterne in mein Gesicht, als wäre sie der Mond, und sah mich an, ohne etwas zu erwidern, dann winkte er mir, ihm zu folgen.

Wir gingen zurück durch die Tür und kamen in ein Gewölbe aus roten Ziegelsteinen, eine riesige Küche mit Kamin, in dem ein Feuer loderte. Davor lagen zwei

Hütehunde, der eine so hinfällig, daß er sich kaum aufrichten konnte.

An den Wänden hingen Jagdtrophäen aus unvordenklichen Zeiten, Hirschgeweihe, der imposante Kopf eines Wildschweins, ausgestopfte Vögel und zerlumpte Pelztiere, die schon eine halbe Ewigkeit ihre spitzen, gelben Zähnchen bleckten.

Alles war vollgestellt mit Gerümpel, verstaubten Möbeln, schmutzigem Geschirr, land- und hauswirtschaftlichen Geräten – ein unglaubliches Durcheinander.

Der alte Mann zeigte auf einen riesigen Holztisch im hinteren Teil des Raumes, auf dem Würste, Käse und altes Brot herumlagen, und lud mich mit einer knappen Handbewegung ein, dort Platz zu nehmen.

Ich fragte ihn, ob er der Besitzer des Schlosses sei.

Ohne zu antworten, schlurfte er zu einem defekten Kühlschrank, der mit offener Tür in einer Ecke stand und so gar nicht in diese Umgebung paßte.

›Sie haben sich also verirrt, junger Mann‹, sagte er plötzlich, und seine Stimme klang ganz anders, als ich es erwartet hatte.

Sie war leise, trotzdem fest und überraschend hoch.

›Nun, Sie sind gewiß nicht der erste. Wenn man bis hierhergekommen ist, dann ist es schwer, wieder zurückzufinden ... Nehmen Sie einen tüchtigen Schluck! Selbstgebrannt, so wie ihn der Major selig liebte ...‹

Er stellte eine Flasche Schnaps auf den Tisch, die er dem Vorratsschrank, der einmal ein Kühlschrank gewesen war, entnommen hatte.

›Ich lebe in der dreizehnten Generation auf Montrague, müssen Sie wissen. Nach mir kommt nur noch mein Sohn, und der hat gewiß nicht die Kraft, das Erbe der Marquis von Montrague fortzusetzen, in dieser Welt und dieser Zeit. Nein, sicher nicht. Er hat sich nie für uns interessiert, er liebte einzig und allein den Major.

Sie sollten sich vor ihm hüten ... vor Amadé, meinem Sohn, meine ich.

Der Major ist schon vor vielen Jahren freiwillig in den Tod gegangen. Wir haben ihn in unserer Familiengruft beigesetzt ...

Trinken Sie noch einen Schluck. Wollen Sie vielleicht etwas essen? Sie werden heute nacht hier schlafen, ich zeige Ihnen gleich Ihre Kammer, und morgen früh sollen Sie erfahren, wie Sie in Ihre Welt zurückfinden ... Wohin waren Sie überhaupt unterwegs?‹

Ich wollte ihm eben antworten, als ich ein merkwürdiges Geräusch vernahm.

Ich dachte erst, es wäre der Nachtwind, der durch die offenen Fenster in die dunklen Räume des oberen Stockwerks fuhr und die großen Kristallüster zum Klingen brachte.

Aber dann vernahm ich Musik, die leise durch die alten Säle und Korridore wehte und wie flüssiges Silber über die Treppen rann, bis tief zu uns hinunter ins Küchengewölbe.

Der Marquis richtete sich mühsam auf, öffnete die Tür rechts vom Kamin und horchte einen Moment ins Dunkel hinein.

Die Musik war jetzt besser zu hören und betörend schön.

Er seufzte und setzte sich wieder zu mir an den Tisch.

›Ach, Amadé ist wieder im Spiegelsaal … Dort ist er oft in letzter Zeit und spielt auf dem alten Cembalo.

Der Major hat es ihm beigebracht, er spielte wunderbar Klavier, o ja, er war der Schüler einer berühmten Pianistin, die den Namen eines napoleonischen Marschalls und das Gesicht Beethovens gehabt hat, sehr groß soll sie gewesen sein und weißhaarig wie der alte Liszt.‹

Er machte eine Pause, als blickte er in die Vergangenheit wie in ein fernes, blühendes Land.

Ich sah ihn lange an, er hatte wache, schöne Augen unter buschigen Brauen.

›Das Instrument hat Marie-Élisabeth de Courtils gehört‹, hob er wieder an, ›der Gemahlin des sechsten Marquis von Montrague, der 1792 keine Gnade vor dem Pariser Revolutionstribunal fand und seinen Kopf unter dem Fallbeil verlor.

Sie hat sich retten können, denn sie war eine ungewöhnliche Frau und Cembalovirtuosin. O ja, sie war berühmt und wurde mit ihrem Partner, dem italienischen Geiger Vialli, an vielen Höfen Europas gefeiert!

Salette, der Präsident des Conservatoires von Paris, hat das Tribunal davon überzeugen können, daß es eine Sünde sei, eine solche Künstlerin zu enthaupten.

Also hat man ein Cembalo in den Saal tragen lassen und sie aufgefordert, ihre Fertigkeit unter Beweis zu stellen.

Sie spielte die Marseillaise so rauschend und gewaltig, daß ihr die revolutionäre Meute begeistert zujubelte und auf der Stelle die Freiheit schenkte.

Vermutlich hat auch ihre Schönheit ein wenig geholfen ...‹

Die Augen des Marquis hatten einen unwirklichen Glanz angenommen, sie leuchteten geradezu.

Ich blickte von einem Auge zum anderen und blieb

schließlich an seinem rechten hängen, das mich nicht mehr losließ und mit magischer Kraft einsog.

Auf einmal hatte ich das Gefühl, in seiner Iris würde sich etwas verschieben, sich drehen und weiten, Schatten tauchten auf, die Pupille zuckte und sprang, ein Äderchen platzte – und plötzlich sah ich auf den Grund eines Auges, das jemand ganz anderem gehörte ...«

JEAN-LUC SCHWIEG. Vielleicht hatte er das Gefühl, die anderen, die bis jetzt still zugehört hatten, könnten ihm nicht mehr folgen oder würden tatsächlich denken, er sei verrückt.

Er starrte zu Boden und zitterte leicht, aber ich glaube, daß es niemandem außer mir auffiel.

»Mein Gott, Bonnard!« stöhnte Philippe.

Er war aufgesprungen und schlug sich mit der Hand an die Stirn.

»Ich glaub' das alles nicht, in welchem Irrenhaus bin ich hier gelandet? Agathe, bring ihm einen Kaffee! Schaut ihn euch an, der hat ja nicht mal geschlafen ...«

Dann setzte er sich wieder hinter seinen Schreibtisch, steckte sich eine Zigarette in Brand und sah fassungslos auf seinen Assistenten. Trotzdem schien ihn die Geschichte zu interessieren.

»Also, was ist los? Erzähl weiter, aber vielleicht

kommst du bald mal auf den Punkt, wir wollen um acht Uhr drehfertig sein!«

Agathe reichte Jean-Luc eine Tasse mit heißem Kaffee und klopfte ihm aufmunternd auf die Schulter.

Der sah sie dankbar an und nahm einen Schluck.

»... WIE SOLL ICH EUCH das erklären?«

Jean-Luc dachte nach, und man sah förmlich, wie ihm die Gedanken im Kopf herumwirbelten und sich nur schwer fassen ließen.

»Es war ... vielleicht ... wie in einem Film, in dem die Kamera langsam zurückfährt, und während das Cembalo zur dramatischen Begleitmusik wurde, enthüllte sich mir ein zweites Auge und dann Stück für Stück das Gesicht einer Frau, bis sie schließlich ganz zu sehen war.

Sie saß an einem Spinett und war in ein prachtvolles Rokokokostüm gekleidet. Ihr linker Arm, weiß und makellos wie der Hals eines Schwans, ruhte auf der Tastatur, während sie in der Rechten ein Notenblatt hielt.

Als die Kamera stillstand, sah ich im Hintergrund einen streng symmetrisch angelegten Schloßpark, der unter einem leuchtenden Sommerhimmel lag. Nichts bewegte sich. Es war ein Gemälde, auf das ich blickte!

Ich sah nur dieses Bild. Und so alt es mir schien, es offenbarte doch die überwältigende Schönheit einer Frau, deren Zauber mir den Atem nahm.

Plötzlich legten sich Hände auf ihr Gesicht, und es war verschwunden.

Die Leinwand wurde am Rande des Rahmens mit Messern aufgetrennt und hastig herausgerissen.

Dahinter – als wäre es eine zweite Schicht – kam ein Saal zum Vorschein, eingerichtet im aufwendigen Stil jener Zeit. Eine hohe Türe flog auf, wobei der rechte Flügel aus den Angeln brach, und eine Horde von Menschen stürzte herein, die in abenteuerlicher, abgerissener Kleidung, barhäuptig oder mit phantastisch bunten Kopfbedeckungen bald den ganzen Raum bevölkerte.

Ich dachte, was für ein großartiger Kostümfilm, und wie rasant er geschnitten ist!

Ein Kristallüster stürzte von der Decke, Schränke wurden umgeworfen, Fenster eingeschlagen, Vorhänge heruntergerissen, Staub wirbelte auf, Porzellan zerbrach polternd am Boden, ein Wandspiegel zerbarst mit einem Paukenschlag.

Als würde eine rasende Bewegung plötzlich angehalten, deren Beschleunigung ich noch als Nachhall in mir spürte, verstummte die Musik, die immer gewaltiger geworden war, und auch die Bilder waren plötzlich verschwunden.

Ich sah wieder das Auge des Marquis und hörte seine Stimme:

›Als Marie-Élisabeth nach Montrague zurückkehrte, hat sie es kaum wiedererkannt, durch die eingeschlagenen Fenster wehten zerrissene Vorhänge. Der Pöbel hatte vor der Zeit ruiniert, was doch eigentlich der Natur vorbehalten war …

Wie sagte der Major?

Denn alles, was entsteht, ist wert, daß es zugrunde geht …

Er war Deutscher, müssen Sie wissen, Offizier der Armee, die uns vier Jahre lang besetzt hielt. Keiner der hier einquartierten Soldaten hat sich unter seinem Kommando schlecht benommen.

Mein Vater lebte noch, und wir gingen unserer Arbeit nach, bestellten die Felder, ernteten, und abends saßen wir am Kamin. Er spielte Beethoven und Schubert auf einem Pleyel-Flügel, den er sich aus Paris hatte kommen lassen, oder trug eine Fabel Lafontaines aus dem Gedächtnis vor …

Als er kurz vor Ende des Krieges in den Strudel der Ereignisse um den Kommandanten von Paris gerissen wurde und nach dem gescheiterten Anschlag auf den deutschen Diktator um sein Leben fürchten mußte, hat er sich hier im Schloß versteckt und ist freiwillig in den Tod gegangen. Er hieß Friedrich von Rotha und stammte aus einer alten preußischen Familie.

Manchmal erzählte er von seiner Kindheit, die er sorglos und wild auf dem elterlichen Gut in Masuren verbracht hatte.

Es muß ein Paradies gewesen sein, wie es ja auch bei uns damals eines war …

Aber vermutlich langweile ich Sie, junger Mann, ich rede zu viel, es kommt ja hier selten jemand vorbei … Ich zeige Ihnen jetzt Ihre Kammer. Was auch geschehen mag heute nacht, verlassen Sie sie nicht! Berthe hat dort geschlafen, meine Haushälterin, die zu mir kam, als meine Frau starb. Es war immer das Zimmer unserer Dienstmädchen.

Als ich noch ein Kind war, hat dort für kurze Zeit eine Magd gewohnt, eine seltsame Person, die später eine berühmte Malerin geworden sein soll …

Hier, nehmen Sie den Leuchter! Es gibt keinen elektrischen Strom, dazu habe ich nicht das Geld.‹

WIR STIEGEN EIN TREPPENHAUS hinauf, in dem es sehr stickig war.

Der Marquis blieb einige Male stehen, um Luft zu

holen, so daß ich Gelegenheit hatte, die Bilder zu betrachten, die an der Wand hingen.

Es waren Portraits von Menschen, die wohl zur Familie der Montragues gehörten. Damen mit blassen Puppengesichtern und turmhohen Frisuren, in die Blumen, zierliche Vögel, ja sogar Miniaturschiffchen eingeflochten waren, und Männer mit weißen Allongeperücken und rotgeschminkten Wangen und Mündern, die jedes Lächeln vermieden.

Im flackernden Licht der Kerzen zwinkerten sie mit den Augen, rissen sie auf und schlossen sie wieder, auch schienen sie sich zu bewegen, so daß ich fürchtete, der eine oder andere könnte sich womöglich aus dem Rahmen beugen und mir auf den Kopf spucken oder mit kalter Hand übers Haar streichen.

Als wir am Ende der Treppe angekommen waren, fragte mich der Marquis etwas außer Atem: ›Sie haben mir immer noch nicht erzählt, was Sie eigentlich machen, junger Mann!?‹

Ich sagte ihm, daß ich in der Filmbranche arbeite, als Regieassistent, und daß wir ganz in der Nähe einen Kinofilm drehen, in dem es um eine Putzfrau geht, die große Blumenbilder malt. Sie wird am Ende berühmt und verfällt dem Wahnsinn …

Und dann hatte ich plötzlich die Idee, ihn wissen zu

lassen, daß wir nach einem Ort suchten, der ihr Zimmer sein könnte, und man ihm unbedingt ansehen müßte, daß ein Mensch ein halbes Leben darin gehaust hätte.

So etwas sei schwer zu finden, und auf der Suche danach hätte ich mich verfahren und wäre hier in seinem Schloß gelandet.

›Ach, sie endete also im Wahnsinn, Ihre ...‹

Der Marquis stand mit dem Rücken zu mir vor einer schlichten Holztür, die Hand auf der Klinke.

Als er sich umwandte, erschrak ich.

Er hatte sich plötzlich in einen Arzt verwandelt, wie er in einem Krankenhaus Dienst tut. Zwar besaß er noch das Gesicht des Marquis, war aber viel jünger, wirkte gepflegt und trug einen weißen Kittel.

›... Séraphine? Nein, mein Herr, ich halte es für keine gute Idee, sie heute zu besuchen. Sie hatte letzte Nacht einen schweren Anfall, wir haben sie festbinden müssen und ihr Beruhigungsmittel gegeben. Glauben Sie mir, wir sind froh, daß sie jetzt schläft. Ihre Wahnvorstellungen werden von Mal zu Mal schlimmer. Einmal verkündet sie den Weltuntergang, dann wiederum glaubt sie, sie sei die Frau eines spanischen Hauptmanns oder ein Engel habe um ihre Hand angehalten.

In letzter Zeit redet sie oft von einem jungen Mann, der ihr bestimmt sei und sich auf dem Weg zu ihr befinde, aber mit Gewalt immer wieder daran gehindert werde, sie zu erreichen.

Leider ist das alles ziemlich hoffnungslos …

Was ist mit Ihnen, junger Mann?

Sie sehen ganz blaß aus, legen Sie sich hin und ruhen Sie sich aus!‹

Mir war schwarz vor Augen geworden, ich hatte sie geschlossen, denn ich dachte, das alles könne nur ein verworrener Traum sein …«

ALLE IM BÜRO HATTEN gebannt Jean-Lucs Worten gelauscht und schraken jetzt regelrecht auf, als er seine Geschichte unterbrach und um eine zweite Tasse Kaffee bat.

François flüsterte Philippe etwas zu und verließ kopfschüttelnd den Raum, Agathe brachte Kaffee, den sie reihum ausschenkte.

Jean-Luc war in sich zusammengesunken, nach einer Weile hob er den Kopf und sah Philippe fragend an.

Der blies die Backen auf und zuckte mit den Schultern.

Dann aber nickte er ihm zu.

»ALS ICH MEINE AUGEN AUFSCHLUG, stand wieder der Marquis in der offenen Türe, als hätte es den Irrenarzt nie gegeben.

Hinter ihm lag ein stickiger Raum, schwarz wie eine Totengruft.

Ich trat einen Schritt hinein und hob den Kerzenleuchter in die Höhe. Allmählich schälten sich Gegenstände aus dem Dunkel, seltsames Treibgut aus Schatten und Traum: wurmstichige Dachbalken, von denen getrocknete Blumen und Kräuterbüschel hingen, ein Schrank mit blindem Spiegel, ein schweres Holzbett, in einer Nische ein ovales Dachfenster, dessen Scheibe zur Hälfte mit Karton verklebt war, darunter ein Tisch mit Stuhl und eine kleine Kommode, vollgestellt mit kuriosem Krimskrams. An der Wand hing ein Kruzifix, daneben ein gerahmtes Bild der Mutter Gottes.

›Was ist aus Ihrer Malerin geworden?‹ wollte der Marquis wissen, der immer noch in der Türe stand und mich aufmerksam beobachtete.

›Sie hat die Psychiatrie von Clermont-de-l'Oise nicht mehr verlassen‹, antwortete ich, ›und ist dort gestorben. In unserem Film klettert sie am Ende in einen riesigen Lindenbaum und verschwindet wieder in der Natur, aus der sie ja kam ...‹

Er sah mich lange an, als versuchte er zu verstehen, was ich gesagt hatte.

Und auf einmal kam mir der Gedanke, daß er vielleicht gar nicht wußte, was ein Film war, daß er nie ein Kino gesehen und auch sein Schloß nie verlassen hatte …

›Ein schönes Bild‹, sagte er plötzlich, ›und fast möchte ich sagen – ein poetisches Ende … Wenn Ihnen also diese Kammer gefällt, dann können Sie sie für Ihren … Film haben. Ich verlange kein Geld dafür, ich möchte nur, daß Sie diesen Raum vor Sonnenaufgang nicht wieder verlassen! Das Nachtgeschirr befindet sich unter dem Bett. Schlafen Sie gut!‹

Die Tür fiel ins Schloß, und der Marquis war verschwunden.

Ich sah mich um, und mir war, als stünde ich wirklich in Séraphines Kammer, genau so hatte ich sie mir immer vorgestellt.

Ich hielt den Leuchter etwas näher an das Bild der Mutter Gottes. Es handelte sich um eine der sentimentalen Mariendarstellungen, wie sie früher in fast jedem Haushalt zu finden waren.

Das weiche Gesicht der Madonna mit Heiligenschein, eingefaßt von einem lichtblauen Tuch, die weiße Haut, die verzückten Augen, ein kleiner, blaßroter Mund, der sich auf einmal öffnete:

›Séraphine, meine Liebe! Hast du die Farben angerührt? Wir wollen heute mit dem Baum des Paradieses beginnen. Laß das Ripolin aus der Apotheke weg, und mal nicht mit den Fingern, du weißt, es ist giftig. Rühre auch nicht zu viel Kremserweiß hinein, die Farben müssen leuchten, und die Blätter des Baumes sollen meine Augen sein ... Hörst du, Séraphine? Steh auf!‹

Von Ferne vernahm ich wieder Cembalospiel.

Ich muß gestürzt sein, denn plötzlich wurde es dunkel ...«

ICH SAH, WIE JEAN-LUC erstarrte.

Agathe und Guillaume, der Aufnahmeleiter, saßen unbeweglich, Fréderic und Laurent, der Kameramann, standen neben Philippe.

Niemand rührte sich.

Als hätte sie jemand in ihren Bewegungen angehalten, so wie man einen Film anhält.

Plötzlich hatte ich das Gefühl, dieses stehende Bild regloser Menschen würde nie wieder ins Laufen kommen; wie eine Photographie im Sonnenlicht würde es langsam ausbleichen und verschwinden.

Etwas mußte geschehen, also öffnete ich schwungvoll die Tür und trat erneut in den Raum.

Ich umarmte Jean-Luc, den ich wirklich mochte und

der mir in seiner Verwirrung leid tat, und erklärte den Anwesenden in schlechtem Französisch, unterlegt mit übertriebenem deutschen Akzent, ich hätte jetzt Lust zu arbeiten, außerdem meinen Text gut gelernt und sei bereit für einen neuen Tag voller Herausforderungen und kolossaler Triumphe.

Da zog langsam wieder etwas Leben in die Gruppe, Agathe und Laurent lachten, und ich hatte das Gefühl, die dunklen Wolken würden sich vielleicht schon bald wieder verziehen.

DIE DREHARBEITEN BEGANNEN an diesem Tag mit fast dreistündiger Verspätung.

Philippe wirkte angestrengt; er spürte, daß etwas passiert war, was einen störenden Einfluß auf den Fortgang unserer Arbeit nehmen könnte, und mißtrauisch beobachtete er Jean-Luc, um nach Anzeichen zu suchen, die seinen Verdacht bestätigten.

Und wirklich, mit Jean-Luc stimmte etwas nicht: Sein Kopf glühte, er hatte glänzende Augen, war nervöser und hektischer als sonst, aber er verrichtete seine Arbeit tadellos.

Philippes Argwohn legte sich allmählich, wenngleich er auch nicht völlig verschwand.

Trotz alledem glückte uns an diesem Tag die schwierige Szene 45 viel besser, als ich zu hoffen gewagt hatte. In ihr wird Séraphine Zeugin eines überstürzten Aufbruchs in Senlis.

Es ist der August 1914. Deutsche und französische Truppen haben an den Grenzen mobil gemacht und brennen darauf, eine Welt zu zerstören, die zwei Generationen Frieden und nie gekannten Wohlstand gebracht hatte.

Wilhelm Uhde und seine Schwester Anne-Marie, die in aller Eile aus Berlin gekommen ist, packen zusammen, was das kleine Automobil, das vor dem Haustor steht, fassen kann: Kleider, Bücher und vor allem Bilder. Die meisten allerdings – darunter Gemälde von Picasso und Rousseau – müssen zurückbleiben (und werden wenig später konfisziert und verschleudert).

Séraphine glaubt Opfer einer Intrige zu sein, die Wilhelm nun brutal von ihrer Seite reißt. Den perfiden politischen Zusammenhang, der ihm die Rolle eines deutschen Spions oder aber (aus deutscher Perspektive) die eines Fahnenflüchtigen zuweist, versteht sie nicht. Sie glaubt, die junge Frau, die ja immer wieder zu Besuch war, hätte lange schon ihr begehrliches Auge auf Wilhelm geworfen, ihn mit weiblicher List und Tücke umgarnt, um ihn nun als willige Beute im fernen Deutschland vor den Traualtar zu schleppen.

Wie groß sind ihre Augen und wie sprachlos der Mund, als er ihr in einem kurzen Gespräch bedeutet, daß es sich bei Anne-Marie um seine Schwester handelt und er selbst gar nicht dazu gemacht sei, jemals eine Frau zu heiraten!

Zwar ahnt sie die Lächerlichkeit ihrer Eifersucht, die Ungeheuerlichkeit seiner zweiten Aussage aber verstört sie, und ihre wahre Bedeutung bleibt ihr ein befremdliches Rätsel.

Schon am nächsten Morgen fahren die Geschwister ab, und es wird dreizehn Jahre dauern, bis Wilhelm Séraphine wiedersieht.

NACH DREHSCHLUSS WAREN Jean-Luc, der Aufnahmeleiter Guillaume und Frédéric, der Filmausstatter, in einem Produktionsfahrzeug aufgebrochen.

Hinter Aumont hatten sie die Abkürzung genommen, die Jean-Luc am Tage zuvor nach Montrague geführt hatte.

Sie wollten das Zimmer im Schloß photographieren, um die Photos Philippe dann zur Abnahme vorzulegen.

Jean-Luc war sich absolut sicher, daß es die richtige Straße war, sie waren durch den kleinen Wald gekommen, er hatte ihn deutlich wiedererkannt, an seinem Saum stand die kleine, weißgetünchte Kapelle, dahinter die hohen Tannen, die sich allmählich in einem lichten Buchenwald verloren.

Aber die Mauer war nicht mehr dagewesen, und infolge dessen auch nicht das Schloß dahinter.

Guillaume hatte aus Ärger über die ganze Aktion irgendwann angefangen, Jean-Luc aufzuziehen, und ihn etwas hinterhältig gefragt, was und wieviel er denn geraucht oder durcheinander getrunken habe und ob er sich vielleicht einen Scherz erlaube und es lustig finde, »wie ein bekiffter Pfadfinder ziellos in der Gegend herumzufahren und Sprit zu verballern«.

Jean-Luc war daraufhin wie eine Rakete in die Luft gegangen, aus dem Auto gesprungen und hatte die beiden angeschrien, sie sollten sich zum Teufel scheren, er suche jetzt alleine weiter und nichts und niemand könne ihn davon abhalten, **sie** wiederzufinden (sie hatten keine Ahnung gehabt, wen er damit meinte).

Dann war er mit lächerlich hohen Bocksprüngen in den Wald hineingestürmt.

Frédéric hatte ihm noch hinterhergerufen, er solle zurückkommen, das alles sei nur ein dummes Mißverständnis, doch Jean-Luc war immer weitergerannt; sie konnten ihn als hellen, hüpfenden Punkt noch eine Weile zwischen den dunklen Bäumen ausmachen, dann aber hatte ihn der Wald verschluckt.

JEAN-LUC BLIEB verschwunden.

Man telephonierte, suchte die Gegend um Aumont systematisch ab, informierte seine Eltern, ja sogar die Polizei, die ihn schließlich als vermißt ausschrieb, aber er schien vom Erdboden verschwunden wie jenes seltsame Schloß, von dem er so eindrücklich erzählt hatte und das nun in unserer Phantasie als Schimäre herumspukte, die uns auch dann noch verfolgte, als wir schon längst nicht mehr darüber sprachen. Keiner von uns verstand, was passiert war und wie es geschehen konnte, daß ein intelligenter und fröhlicher junger Mensch gewissermaßen über Nacht den Verstand verloren und sich aus dieser Welt verabschiedet hatte.

Nach einer Woche wurde ein neuer Regieassistent eingestellt, und die Dreharbeiten schritten zügig voran. In einem alten Maison-de-maître war endlich auch ein Raum gefunden worden, mit dem Philippe seinen Frieden machte.

Was sich am Anfang wie ein Gebirge aus langen Arbeitstagen, Regieproblemen, Organisationsschwierigkeiten und schauspielerischen Rätseln vor uns aufgetürmt und den Anschein bekommen hatte, man würde es nie oder erst in ferner Zukunft bezwingen, wurde auf einmal leicht und ging überraschend schnell zu Ende, kaum war ein bestimmter Zeitpunkt überschritten.

Am Abend des letzten Drehtags gab es eine kleine Feier in einem Gasthaus am Rande der Stadt, aber ich befand mich im Kopf bereits auf der Rückreise, so daß ich mich hauptsächlich an die grauenhafte Musik erinnere, die aus den Lautsprechern des Etablissements plärrte und vermutlich dem Geschmack des Oberkellners entsprach.

Was dann später in meinem Hotel in Trilport geschah, das allerdings werde ich bis zum Ende meiner Tage nicht vergessen.

ICH HATTE GEPACKT und alles für einen frühen Aufbruch am nächsten Morgen vorbereitet.

Draußen herrschte eine herrliche Sommernacht. Ich setzte mich auf die kleine Terrasse, die sich vor meinem Zimmer befand, und ließ den Blick hinunter ans dunkle Ufer der Marne schweifen, die hinter hohen, schwarzen Bäumen still und traumschwer dahinfloß. Hier und da glitzerte ihr mondbeschienenes Wasser durch eine offene Stelle im Gebüsch und verlieh der schlafenden Natur einen unvergleichlichen Zauber.

Ich atmete tief und zufrieden, wie man es gerne tut, wenn eine anstrengende und schwierige Zeit glücklich durchstanden ist.

Ich dachte an den seligen Wilhelm Uhde, und ob ich ihm wohl ein wenig gerecht geworden war, ob der Gang durch die Jahrzehnte, das Älterwerden und die zunehmende Traurigkeit auf der Leinwand später auch glaubhaft sichtbar würde, ärgerte mich über eine mißglückte Szene, spielte sie noch einmal im Geiste nach und fand, daß ich sie ganz anders, nämlich genauso wie eben jetzt in meiner Phantasie hätte spielen müssen, sah den Mond sich über die hohen Wipfel eines Weidenbaumes erheben und bemerkte plötzlich einen Schatten, der aus dem Dunkel der Uferböschung trat und geradewegs auf das Hotel zulief.

DANN STAND ER PLÖTZLICH vor mir.

Sein ganzer Aufzug verriet deutlich, daß er sich schon länger nicht mehr unter Menschen aufgehalten hatte. Das rechte Hosenbein war zerrissen, das verdreckte Hemd hing heraus, die teuren Sportschuhe waren von Morast überzogen, in den zerzausten Haaren klebten Grashalme. Es war Jean-Luc.

Alles schien von ihm abgefallen, was jung, frisch und modern gewesen war; er wirkte wie ein Soldat vergangener Zeiten, der unter den Toten eines Schlachtfeldes umherirrt und nach Überlebenden sucht.

Ich ahnte, daß er in eine sonderbare Welt hineingeraten sein mußte, der er verzweifelt zu entkommen suchte, aber je mehr er riß, zerrte und strampelte, desto fester zogen sich die unsichtbaren Bande, an denen er hing, zusammen und drohten, ihm das Blut abzuschnüren. Wie ein Ertrinkender, der vom Tumult der Strömungen noch einmal an die Wasseroberfläche gespült wird, nach Luft schnappt, um dann endgültig in der schwarzen Tiefe zu verschwinden.

Er atmete schwer, die Schultern hoben und senkten sich, und er stierte mich an, als wollte er etwas unerhört Wichtiges sagen, aber nichts kam heraus als ein leises: »Hilf mir, Wilhelm! Ich habe Hunger.«

Wilhelm war mein Filmname, der mir in der Produktion auch bald privat anhing; irgendwer hatte mich eines Tages so genannt, und dabei blieb es. Offenbar war er für die Franzosen leichter auszusprechen als mein wirklicher Name.

Ich bat also Jean-Luc, sich zu setzen, holte eine Flasche Wasser und ein paar Schokoladenriegel aus dem Kühlschrank im Zimmer (die Flasche Wein ließ ich vorsichtshalber stehen) und schaute zu, wie er die Süßigkeiten in unglaublicher Geschwindigkeit vertilgte.

Ich wartete ab, er würde bestimmt irgendwann anfangen zu sprechen, deshalb war er ja ohne Zweifel gekommen.

Nachdem er auch noch die Flasche Wasser in wenigen Zügen geleert und sich mit dem Handrücken den Mund abgewischt hatte, starrte er eine Weile ausdruckslos auf den Holztisch vor sich, wobei er sich etwas zu beruhigen schien.

Dann gab er sich einen Ruck und sah mich an.

Er lächelte vorsichtig.

»Oh, oh, zum Verrücktwerden ist das alles, nicht wahr?! Aber was soll ich tun? Von der ersten Sekunde an war ich verloren, und ich weiß, daß ich sterben muß, wenn ich sie nicht wiederfinde. Sie ruft nach mir, das weiß ich wohl, jede Minute, aber ich habe den Weg verloren ...

Ich weiß nicht ... sie, die mir alles bedeutet, habe ich gefunden und gleich darauf wieder verloren.

Seitdem suche ich. Ich suche und suche ...

Ich bin nicht wahnsinnig, o nein, auch wenn ihr das alle glaubt ...

Hat mich nicht Amadé, dieser Dämon, hat er mich nicht ins Unglück gestürzt?! ...

Vielleicht bist du der einzige, der mich versteht, Wilhelm, und deshalb bin ich gekommen.

Du bist nicht von hier, du bist aus einem fremden Land, in dem die Menschen tief denken und fühlen, und wenn du willst, werde ich dir meine Geschichte erzählen.

Gib mir einen Schluck Wein! Nein, gib mir zwei!!«

Jetzt lachte er leise, und ich spürte, wie gut es ihm tat, zu reden, daß er sich befreien wollte und ich eine Beichte hören würde, wie sie vielleicht niemand je vernommen hat.

Um die Flasche Wein zu entkorken, ging ich zurück ins Zimmer, aber als ich wieder auf die Terrasse trat, war Jean-Luc verschwunden.

Es versetzte mir einen Stich, denn für einen kurzen Augenblick glaubte ich wirklich, ich hätte alles nur geträumt.

Dann hörte ich, wie seine Stimme leise nach mir rief.

Er stand im Dunkeln, draußen auf der nächtlichen Wiese, die hinunter zum Fluß führte, und bat mich, zu ihm zu kommen.

Wir setzten uns ins feuchte Gras, der Mond schien so hell, daß ich jede Bewegung seines Gesichtes sehen konnte, und er begann.

»ALS ICH IN SÉRAPHINES Kammer wieder zu mir kam – heute weiß ich, daß es ihre Kammer war –, hatte ich keine Ahnung, wo ich mich befand.

Ich lag auf einem staubigen Fußboden in vollkommener Dunkelheit und versuchte mich verzweifelt daran zu erinnern, was geschehen war. Für eine schreckliche

Sekunde kam mir der Gedanke, ich hätte womöglich mein Augenlicht verloren.

Mir fiel ein, daß sich in meiner linken Jackentasche ein Feuerzeug befand. Ich nahm es heraus und zündete es an.

Gott sei Dank, da lag der Messingleuchter, der mir beim Sturz aus der Hand gefallen war!

Ich erinnerte mich wieder.

Ich sammelte die herausgefallenen Kerzen ein, steckte sie zurück und zündete sie an. Die Gegenstände um mich herum, ihrer nächtlichen Gestaltlosigkeit entrissen, flossen zögerlich zurück in die Form, die ihnen vom Licht bestimmt war.

Da hörte ich plötzlich, wie jemand sang, unendlich fein und voller Hingabe. Es war ein Kirchenlied, ein lateinischer Psalm, aber mit dem Lufthauch, der die stickige Kammer plötzlich durchwehte, flog die Melodie wieder davon, und es perlten leise Cembalotöne herein und erinnerten mich daran, daß ich Gast in einem Hause war, das sich anschickte, tiefer in mein Leben einzugreifen, als mir lieb war.

Ich schlich vorsichtig zur Tür und hatte noch nicht die Klinke berührt, als es hinter mir flüsterte:

›Séraphine, bleib, ich bitte dich! Dort, wo du jetzt hingehst, kann ich dir nicht helfen … Geh nicht!!‹ …

Ich wollte hinaus aus dieser Kammer, in der etwas Totes den Weg zurück ins Leben suchte, wollte das Schloß verlassen, meinen Wagen finden und davonfahren. Aber es war wohl auch die Neugier, die mich antrieb, und die betörende Wirkung dieser Musik, daß ich die Warnung des Marquis in den Wind schlug und durch die Tür in das dunkle Treppenhaus trat.

NACHDEM ICH EIN PAAR Sekunden in regloser Anspannung verharrt hatte, stieg ich vorsichtig ein Stockwerk hinab.

Ein paar Bodenfliesen brachen unter meinen Füßen und fielen klackernd die Treppenstufen hinunter.

Da setzte die Musik aus, aber ein paar Sekunden später hob sie wieder an, langsamer und getragener als zuvor. Sie kam aus einer Tür, die rechts vom Treppenabsatz wegführte.

Ich öffnete sie und blickte in einen dunklen Korridor.

Auf der linken Seite befand sich eine Flucht hoher, schadhafter Fenster.

Voller und tiefer brausten die Töne des Cembalos heran, deren Ursprung sich nun irgendwo in der Nähe befand, in einem der Säle, die am Ende des Korridors lagen.

Weil die Kerzen in der stickigen Luft zu erlöschen

drohten, hielt ich meine Hand schützend davor, als ich in den Flur hineinlief.

Rechts an der Wand hingen ein paar monochrome Gemälde, von denen eines eine Hafenszene zeigte. Schiffe unter einem Wald von Segelmasten, Fischerboote und Lastkähne, die entladen wurden.

Auf einer Mole bezopfte Seemänner und Kaufleute in Pluderhosen, die miteinander sprachen oder verhandelten, dahinter Lagerhallen, und auf einem Hügel, der sich gleich dahinter erhob und sanft nach hinten zog, sah man Häuser, Türme und Kirchen einer ummauerten, mittelalterlichen Stadt.

Das Bild wirkte wie das Negativ einer Photographie. Obwohl Tag war, herrschte Nacht, und man hatte den Eindruck, die Welt sei in eine dunkle Schachtel eingeschlossen, durch die sich ein Riß zog, der gerade so viel Licht hineinließ, daß die Menschen in ihr nicht völlig verschwanden.

Was mich beunruhigte, war, daß es sie nicht im mindesten zu stören schien. Im Gegenteil, sie gingen ihrem Tagwerk nach, als sei ein Leben im Zwielicht etwas völlig Normales und nichts, worüber man sich besondere Gedanken machen müsse.

Da änderte sich plötzlich der Rhythmus der Musik, und ein Tanz war zu hören, in strengem Dreivierteltakt, zu schnell für eine Sarabande, aber etwas in dieser Art, ein höfischer Tanz, nach dem man sich in festgelegten Schritten bewegt.

Ich bemerkte aus dem Augenwinkel, wie sich in dem großen Gobelin, der gleich neben dem Hafenbild hing und fast die ganze Wand einnahm, etwas regte. An den Rändern war er ausgefranst und verblichen, aber in seinem Inneren – da leuchtete er und strahlte, als wäre alles Licht, das den monochromen Bildern fehlte, in die feinen Stoffasern übergegangen und hätte sich in einer großartigen, lebendigen Tanzszene verdichtet.

Auf einer Waldlichtung war eine bunt zusammengewürfelte Schar von Menschen versammelt, Edelleute in höfischer Kleidung, Damen mit hohen Frisuren unter zierlichen Sonnenschirmen, Kinder, die mit Hunden spielten, aber auch bäuerliches, einfach gekleidetes Volk. Sie lauschten der Musik dreier Männer, die auf einer hölzernen Bank unter dem dichten Blätterdach einer riesigen Linde saßen und zum Tanz aufspielten.

Weinkrüge und Schalen mit Obst und Backwerk wurden herumgereicht, über einem Feuer drehte sich ein halber Hammel an einem Spieß.

Im Vordergrund aber stand eine Frau in zerschlissenem Leinenrock mit einem geflochtenen Korb voller

Blumen, die mir plötzlich den Kopf zuwandte und den freien Arm so unvermittelt entgegenstreckte, daß ich erschrocken zurückfuhr.

Sie war groß und kräftig, ihr Gesicht derb, die Augen dunkel und starr, und während ich noch fieberhaft überlegte, woher ich sie kannte und was ich nun tun sollte, hatte sie mich schon am Handgelenk gepackt und hineingerissen in einen Strudel aus Bewegung und Geschrei.

Ich sah in grellgeschminkte Gesichter, aufgerissene, schmutzige Münder, die brüllten und lachten, taumelte durch Sonnenstrahlen und Gebüsch, an tanzenden Paaren vorbei, wurde in einen schattigen, umlaubten Winkel gerissen, fühlte die warmen, rissigen Lippen dieser riesigen Frau auf den meinen, hatte unversehens einen Becher am Mund und spürte, wie starker, süßer Wein mir die Kehle hinunterrann wie ein giftiges Elixier.

Die Fideln und Mandolinen der Musikanten schlugen einen immer schärferen Rhythmus an, alles um mich herum drehte sich wild im Kreise, und plötzlich erhob sich ein Wind in der Tiefe des Waldes, der wie eine mächtige Brandung heranrauschte, bald alles gellend übertobte und mich mit ungeheurer Gewalt in die Höhe riß und nach außen schleuderte.

Mit einem Schlag stand ich wieder im Dunkel des Korridors, als wäre nichts geschehen.

Die Kerzen des Leuchters brannten ruhig vor sich hin.

Nur dort, wo der Gobelin gehangen hatte, war jetzt eine hohe Tür, die einen Spalt weit offen stand, und ich hörte wieder diese Musik, leise und besänftigend.

Ich hätte eigentlich vor Angst sterben müssen, Wilhelm, aber ich fühlte mich leicht und frei wie nie zuvor in meinem Leben, ich durchlief eine fremde Choreographie, Schritt für Schritt, Figur für Figur, ich tanzte und spürte, daß ich nicht mehr aufhören konnte.

Zu tief war ich in eine Welt eingedrungen, die über einem Abgrund irrlichterte, in den ich hinabzustürzen drohte, ja, ich wünschte es mir sogar ...«

ER SCHWIEG UND SAH hinunter zum Fluß, dann legte er sich auf den Rücken und starrte hinauf in den nächtlichen Himmel.

Ob auch er das helle Licht sah, das mir sofort aufgefallen war, diesen funkelnden Punkt dort oben unter den Sternen, der still und einsam seine elliptische Bahn zog?

Es mochte ein Satellit sein oder ein vorbeiziehender Komet, ich wußte es nicht.

Aber auf einmal schien mir, als wäre Jean-Luc dieser leuchtende Himmelskörper. Angestrahlt von einer fernen, unwirklichen Sonne, flog er in die schwarze Tiefe des Weltalls, um irgendwo dort draußen zu verglimmen.

Da begriff ich, daß er verloren war.

Nach einer Weile drehte er mir den Kopf zu und sah mich lange an. Es war ein unendlich trauriger Blick. Plötzlich aber legte sich ein Lächeln um seinen Mund, er richtete sich auf, umfaßte die Knie mit den Armen und nahm den Faden seiner Erzählung wieder auf.

»DER SAAL, IN DEN ICH nun eintrat, war angefüllt mit Möbeln, die vermutlich einmal in den oberen Räumen des Schlosses gestanden hatten und deren Decken nun undicht waren und das Regenwasser einließen.

Im Licht der Kerzen zeigte sich ein wildes Durcheinander übereinandergestapelter Tische, Kommoden, Schränke, Spiegel, auseinandergenommener Betten, Sofas, Récamièren, am Boden abgestellter Gemälde, Vasen und vertrockneter Zimmerpflanzen. Einige der wurmstichigen Tischchen mit ihren geschwungenen Beinen waren unter dem Gewicht schwerer Marmorplatten zusammengebrochen und lagen zersplittert am Boden.

Als ich mich umwandte, um wieder hinauszugehen, stieß ich so heftig an eine Frisierkommode, daß die auf ihr abgestellten Kisten und Kästchen eine nach der anderen herabstürzten und die Gipsbüste eines längst dahingegangenen Montrague mit sich zu Boden rissen, wo sie polternd zerbrach …

›Herein, herein, wenn's kein Schneider ist!‹

Die Stimme klang laut und kräftig.

Zwischen zwei Bücherregalen war in der Tiefe des Saales eine Türe aufgegangen, in deren Rahmen ein Mann stand, dem ein unruhiges Hinterlicht schattenhafte Kontur gab.

Er brach in ein dröhnendes Gelächter aus, als wäre die mir unverständliche Aufforderung das Komischste, was je über eines Menschen Lippen gekommen war, dann verschluckte er sich und fing an heftig zu husten.

›Kommen Sie, mein lieber Freund, nur keine Angst!‹ sagte er, als er sich wieder beruhigt hatte. ›Mein Herr Papa hat mich bereits vom freudigen Umstand Ihres Besuches unterrichtet. Was also tun Sie hier, woher kommen Sie, und schließlich, wer sind Sie, ja, wer sind Sie nur? – Als ob irgendwer wüßte, wer er ist, nicht wahr …?!‹

Wieder lachte er ein wenig zu laut, dann trat er auf mich zu, nahm mir den Kerzenleuchter aus der Hand, hakte mich freundschaftlich unter und führte mich wie einen alten Bekannten in den Saal, aus dem er gekommen war.

Er war beleibt, von undefinierbarem Alter, trug einen orientalischen Hausmantel, unter dem perlenbestickte Schuhe hervorschauten, deren Spitzen leicht nach oben gebogen waren. Sein Gesicht war breit und aufgeschwemmt wie das eines Trinkers, die Nase platt und gerötet, und in den kleinen Augen blitzten Schalk und Bosheit in abgründiger Paarung. Die dichten Haare waren kurz geschnitten, mit einer fettglänzenden Paste gezähmt und streng nach hinten gekämmt, im linken Auge klemmte ein Monokel. Seine Gebärden waren weit ausgreifend, und nichts und niemand würde ihn aufhalten, das merkte man deutlich, hatte er einmal für etwas Feuer gefangen.

Er stellte den Kerzenleuchter auf ein kleines Tischchen neben eine Kristallkaraffe, deren Inhalt er in ein Glas goß, das er mir nun entgegenhielt.

›Ein exorbitanter Tropfen, junger Mann, eine Rarität! Ein Amontillado von 1857. Eine wahre Sinnesfreude, die Ihren Gaumen verzaubern und Sie in die köstlichen Gefilde Andalusiens versetzen wird. Dazu eine Zigarre aus allererster cubanischer Produktion, und ich verspreche Ihnen den Himmel auf Erden! –

Sie sind Italiener, mein Freund? Sie sehen dem jungen Vialli wie aus dem Gesicht geschnitten ähnlich … Nein, wirklich eine ganz und gar erstaunliche Übereinstimmung! –

Nun zieren Sie sich nicht, greifen Sie zu, Sie sind mein Gast! …‹

Kaum hatte ich das Glas genommen, hielt er mir ein Zigarrenkistchen unter die Nase, und ohne meine dankende Ablehnung zu beachten, zeigte er auf zwei Sessel, die zwischen staubigen, verdorrten Zimmerpalmen in einer Ecke standen. Eine Petroleumlampe sorgte für etwas zusätzliches Licht.

›Setzen wir uns, mein lieber Freund, welch zauberhafte Überraschung mir Ihr Besuch ist, ich hatte gar nicht mehr damit gerechnet! Sie spielen nicht etwa doch Geige? Nein?‹

Schwer atmend nahm er Platz, spuckte auf den Boden, verrieb den Auswurf mit der Spitze seines Schuhs und entzündete sich eine Zigarre.

Der Raum, in dem wir saßen, war der größte von allen, die ich bislang gesehen hatte, und mit einer Unzahl großer und kleiner Spiegel ausgekleidet, die in die Wände eingelassen waren und das Feuer, das an seinem anderen, entfernten Ende in einem Kamin brannte, vielfach reflektierten und magisch vergrößerten.

Die übrigen Flächen und Zwischenräume hatte man mit blauen Seidenstoffen bespannt, die an einigen Stellen so brüchig waren, daß hinter ihnen das bloße Mauerwerk aufschien.

Ein abgedecktes Instrument, vermutlich ein Flügel, stand in der Mitte des Saales, den beiden Sesseln gegenüber ein altes, mit bukolischen Landschaften bemaltes Cembalo, über dem ein Gemälde hing, das dem Bild, welches mir im Auge des alten Marquis erschienen war, fast vollkommen glich.

Wieder sah ich in das Gesicht von Marie-Élisabeth de Montrague, die an ihrem Instrument saß (es war dasselbe, das leibhaftig unter dem Bild stand!), jetzt aber statt eines Notenblatts eine Spieldose in der Hand hielt.

Es war ein quadratisches Kästchen aus dunklem Holz, nicht sehr groß und mit feinen Perlmuttintarsien und goldglänzenden Beschlägen verziert. In seine Oberfläche war eine Metallscheibe eingelassen, auf der eine kleine Porzellanfigur stand.

Mir schien außerdem – und das war merkwürdig –, als sei die Marquise dreidimensional und die Leinwand eine Glasscheibe, hinter der sie leibhaftig saß.

O Wilhelm, nie habe ich etwas Schöneres gesehen!«

JEAN-LUC VERSTUMMTE und ließ den Kopf hängen. Vielleicht hatte sich ihr Bild verflüchtigt, und ihm blieb nur der Schmerz, etwas verloren zu haben, das ihm wichtiger war als sein Leben.

Plötzlich sprang er auf, warf seine Arme dem Mond entgegen und schüttelte sie, als wollte er den Trabanten vom Himmel holen. Dann schrie er. Es war der wüste, urhafte Schrei einer Kreatur, die sich quält und keine Hoffnung mehr hat.

Ich hielt den Atem an.

Er sank auf die dunkle Wiese und blieb dort regungslos liegen. Nach einer Weile richtete er sich auf und wandte sich mir zu.

Er weinte.

Aber dann lächelte er plötzlich und wischte sich die Tränen aus dem Gesicht.

Die Marquise schien wieder vor sein Auge getreten zu sein, anders und noch begehrenswerter, wie eine Verheißung, daß alles gut werde und er sie bald wiedersehe.

»Sie sah mich mit einem Ausdruck an, Wilhelm«, fuhr er fort, »der mich im Innersten erschütterte. Ihr Lächeln war von strahlender Offenheit, und doch wohnte ihm zu gleicher Zeit eine feine, fast geheimnisvolle Zurückhaltung inne, die es vielschichtiger und lebendiger machte, als vielleicht je ein Bildnis jener

Epoche gewesen ist. Ich kann dir die Schönheit ihrer Haltung und ihres Gesichtes nicht mit Worten beschreiben, ich fühlte nur, daß es der Ausdruck eines Menschen war, dessen Herz und Sinne einem anderen zufliegen, den er in der ganzen Tiefe seiner Seele liebt.

Und dieser andere, davon war ich nicht nur überzeugt, ich wußte es einfach – dieser andere war ich!

WAS SOLL ICH DIR sagen?

Ich hätte sterben können vor Glück, ich fühlte mich emporgehoben in Sphären, die ich nie zuvor gekannt, ja nicht einmal erahnt hatte. Dieses Glück besaß nichts von dem, was jeder von uns einmal erlebt, wenn er sich einem anderen Menschen hingibt. Es war das Wiederfinden eines verlorenen Teils, eines weggebrochenen Lebens, und die Seligkeit, die man empfindet, wenn verschüttete Schichten der Seele, wie durch ein Wunder befreit, unvermittelt offen daliegen und Bilder auferstehen, die längst vergessen schienen.

Plötzlich verband sich der sonderbare Geruch des verspiegelten Saales mit den zauberischen Düften der Kindheit, und für eine kurze Ewigkeit bewegte ich mich in einem Bezirk, der weit jenseits der Realität in einem verschlossenen Traum lag und doch wirklicher war als alles, was sich mir im Leben bis dahin sichtbar gezeigt hatte …

Ein Schuß riß mich aus meinen Gedanken.

Ich fuhr zusammen, und das Herz schlug mir bis zum Hals. Stuck und Mörtel rieselten von der Decke, und ein dunkler Gegenstand fiel dumpf zu Boden.

Amadé hielt eine Flinte in der Hand, aus deren Lauf ein dünner Faden Rauch aufstieg. Er hatte irgendwo in den oberen Teil des Raumes geschossen, und nun erhob er sich und las ein Tier vom Boden auf, das einem Eichhörnchen nicht unähnlich sah.

›Ein Siebenschläfer, mein Bester. Possierliche Tierchen, die hier massenhaft zur Untermiete wohnen, aber noch nie einen Sous bezahlt haben. Sie feiern rauschende Feste unter dem Dach, als hätte es die Revolution nie gegeben, und verbreiten einen Geruch, der als beklemmend zu umschreiben stark untertrieben ist. Sie müssen zugeben, daß sich das nicht schickt.‹

Er warf das tote Tier in eine chinesische Vase, die hinter seinem Sessel stand, und lehnte das Gewehr an die Wand.

›Nun seien Sie kein stummer Fisch, sprechen Sie zu mir! Klären Sie mich auf, befriedigen Sie meine Neugier, erzählen Sie von der seltsamen Welt, aus der Sie kommen! Besteht es noch, das gute, alte Menschengeschlecht? Oder haben die Gespenster des Unwirklichen es schon verschlungen? Die Geister jenes heraufdämmernden Reiches der Simulation und Künstlichkeit, in dem nur der farbige Abglanz einer aufgegebenen Wirklichkeit, eines vergessenen Ursprungs, die Reproduktion der Reproduktion besteht, und alles Echte, Große und Ursprüngliche im Mistkübel der Gier, der Beliebigkeit und Verblödung landet und der Mensch, ein armseliger Homunkulus, ausgeweidet und entbeint, sich nur mehr rasend und sinnlos im Kreise dreht? …

Nebenbei bemerkt, haben Sie einen ganz miserablen Schneider, junger Freund, Sie sollten sich unbedingt einen neuen suchen!‹

Der Schreck, der mir durch den Gewehrschuß in die Glieder gefahren war, hatte meine Aufmerksamkeit für einen Augenblick wiederhergestellt, aber erneut mußte ich nach der schönen Marquise sehen, meine Augen tasteten ihr Gesicht ab, die schmale, wohlgeformte Nase, den schönen Mund, der an die ausgebreiteten Schwingen eines nächtlichen Vogels erinnerte, und plötzlich war mir, als blinzelte sie mit einem Auge …

›Oh, ich sehe, Sie sind ganz versunken in das Bildnis unserer lieben Marie-Élisabeth!‹ sagte da Amadé, und seine Stimme hatte einen hämischen Unterton.

›Nun, sie war eine sehr anziehende Frau, und Sie sind

gewiß nicht der erste, der dies bemerkt. Hören Sie auf mich, und lassen Sie ab von ihr, machen Sie sich nicht unglücklich!

Gehen Sie zurück in Ihr Zimmer!

Mit welcher Kraft wollen Sie, der Sie aus dieser fellachischen, dem Geld und Stumpfsinn wahnhaft verfallenen, auf alles Erhabene verzichtenden Welt stammen, mit welcher Kraft also wollen Sie der Macht wahrer Schönheit standhalten? ...‹

Sie lächelte mich an!

Sie bewegte ihren Arm und nahm ihn von der Tastatur!

Sie schüttelte ihren Kopf, und ich war nahe daran, vom Stuhl zu sinken.

Tonlos sagte ich einen Satz, der gewiß nicht zum besten gehörte, was ich in meinem Leben von mir gegeben habe.

›Mit der Kraft der Liebe, Monsieur!‹

Unter höhnischem Gelächter arbeitete sich Amadé aus dem Sessel heraus und schlurfte kichernd und hustend in den hinteren Teil des Saales. Dort blieb er vor einem Regal stehen, das bis zur hohen Decke hinaufreichte, band den seidenen Gürtel auf, der seinen Hausmantel zusammenhielt, die Schöße flogen auseinander als wären sie Flügel, er erhob sich plötzlich in die

Luft und flatterte wie ein riesiger Falter hinauf bis unter den konkaven Plafond des Saales, der mit einer Fülle exotischer Pflanzen und Blumen ausgemalt war.

Für einen Augenblick verharrte er dort bewegungslos, öffnete ein winziges Glastürchen, entnahm ihm einen Gegenstand, schloß es wieder, flog in einem Bogen auf mich zu, schwankte auf einmal, als wäre er in Turbulenzen geraten, und stürzte unmittelbar vor mir hart zu Boden.

Fluchend drehte er sich vom Rücken auf den Bauch, winkelte die Beine an und arbeitete sich prustend in eine kniende Stellung, aus der er sich schwerfällig erhob.

Er hatte sich weh getan und verzog schmerzhaft das Gesicht.

Dann schlug er, wütend über seine Ungeschicklichkeit, den Staub aus seinem Mantel und ließ sich wieder in den Sessel fallen.

Er war völlig außer Atem.

Ich hatte dem Ganzen fassungslos zugeschaut, war aber sogleich gefangengenommen von einer kleinen Spieldose, die er nun sichtlich stolz und mit großer Vorsicht auf das Tischchen stellte. Sie war diesselbe, die die Marquise auf dem Gemälde in ihrer rechten Hand hielt. Die Figur auf ihrer Oberfläche war eine Ballerina in einem roten Kleidchen, sie hatte das rechte

Bein leicht abgespreizt und die Ärmchen anmutig in die Hüften gedrückt.

AMADÉ VERSCHRÄNKTE seine Hände mit den überraschend schmutzigen Fingernägeln vor dem Bauch und sah mich herausfordernd und mit glühenden Augen an.

Ich wollte schon ein Wort der Verteidigung oder wenigstens der Erklärung von mir geben, als sein schwerer Körper in der Gefangenschaft des Sessels anfing, sich auf und nieder zu bewegen, in ein Hüpfen überging, das sich schließlich Luft in heftigem Gekicher und einem bösen, bellenden Lachen verschaffte.

›Großartig, junger Freund! Ja, die Liebe! Nein, einfach zu schön, Sie rühren mich! Sie sind einen weiten Weg gekommen und haben Dinge gesehen, von denen Sie in langen, einsamen Nächten vielleicht einmal geträumt haben. Sie haben sich in ein Bild verliebt, ein Traumbild, das Sie bezaubert, wie es die Wirklichkeit nie könnte, und es macht Ihnen angst. Hoffnung und Verzweiflung halten sich in Ihrer aufgewühlten Seele die Waage, und Sie wissen sich nicht zu helfen …

Was wäre beglückender für mich, als Ihnen dieses tote Bild zum Leben zu erwecken und die Türe aufzustoßen, die hineinführt in das köstliche Land Ihrer Sehnsucht?!

Sehen Sie, diese Spieluhr hier ist ein Geschenk des Geigers und Tonkünstlers Vialli, den sie mehr liebte, als Worte sagen können. Doch sie war verheiratet mit einem Mann, der ihr jede Untreue übel vergolten hätte, und er, Vialli, hatte darum schon bald sein Herz einer glutäugigen Tänzerin aus Samarkand geschenkt, die Arabella hieß und den entschiedenen Unwillen meiner Ahne erregte.

Eines Tages verschwand diese Tänzerin auf mysteriöse Weise, und erst als der arme Vialli sich aus Gram über ihren Verlust in einen Baum gehängt hatte, tauchte sie wieder auf. Und das ist nun wirklich eine merkwürdige Geschichte ...‹

Er beugte sich dicht vor mein Gesicht und flüsterte mir die Worte zu, als wollte er verhindern, daß irgendwer anderer im Raum zuhörte.

›Arabella war winzig klein geworden, müssen Sie wissen, und sie war zu Porzellan erstarrt!‹

Er hielt kurz inne, um die Wirkung seiner Worte auf mich zu überprüfen.

›Nur Marie-Élisabeth konnte sie aus ihrer Gefangenschaft befreien. Sie ließ Arabella im Kreise fahren, bis sie anhielt. Und – schwupps! – drehte sie sich wieder, warf ihre Kußhändchen in die Runde und – rumms! – blieb wieder stehen ... und so weiter und so weiter, bis in alle Ewigkeit, stellen Sie sich vor … Nein, zu komisch, wirklich zu komisch!‹

Amadé klatschte in die Hände und brüllte vor Vergnügen. Mit Tränen der Freude in den Augen schenkte er sich ein neues Glas Amontillado ein, nahm sein Monokel aus dem Auge und fuhr mit einem Taschentuch über das rote, erhitzte Gesicht.

Dann beugte er sich wieder zu mir.

›Nun, die Marquise hatte anläßlich eines Auftritts am Hofe von Budapest, bei dem auch Vialli und seine Liebhaberin zugegen waren, einen paschtunischen Magier aus Wasaristan kennengelernt, der mit einer Truppe persischer Akrobaten, indischer Fakire und Kleinwüchsiger aus Nordafrika denkwürdige Vorstellungen gab und seine meist adeligen Zuschauer aufs höchste verblüffte und bisweilen sogar zu Tode erschreckte.

Er ließ Menschen, Pferde, ja ganze Häuser verschwinden, hypnotisierte pausbäckige Comtessen, trank heißes, flüssiges Blei und konnte stundenlang mit offenen Augen in den Feuerball der glühenden, im Mittag stehenden Sonne starren, ohne daß es ihm auch nur das geringste ausgemacht hätte.

Diesen Magier, der sich Suleiman Cheel nannte, hatte sie eines Tages nach Montrague geholt und ihm Arabella zugeführt.

Und weil es Marie-Élisabeths innigster Wunsch war, hat er die Tänzerin auf der kleinen Spieluhr kunstvoll fixiert und ist reich beschenkt weitergezogen.

Als die Garden der Revolution nur wenig später alles zu zerstören drohten, versteckte sie das seltsame Wunderding in einem unscheinbaren Möbelstück auf dem Dachboden.

Vor vielen Jahren hat es Séraphine, eine alte Dienstmagd, die einem Irrenhaus entflohen war und sich hier im Schloß herumtrieb, zufällig wiederentdeckt.

Diese Spieluhr ist der Schlüssel in ihre Welt …‹

Vorsichtig zog er sie nun auf, eine filigrane Melodie erklang, und die kleine Porzellantänzerin begann sich im Kreise zu drehen. Sie warf die Ärmchen in die Höhe, spreizte die Beinchen ab, und durch ein vergrößerndes Glas hätte man wohl sehen können, wie sich ihre dunklen Augen öffneten und schlossen und wieder öffneten und erschreckt das Bild einer Welt erhaschten, die sie nicht im mindesten begriff.

›Ist es nicht eine entzückende Musik?! Nicht wahr, wie ein Traum gewebt aus Traurigkeit und Sonne …

An Leichtigkeit und Vertikalität war nur Mozart Vialli ebenbürtig! Es ist seine Cembalosonate Nr. 6 von 1779, die wunderbare Melodie aus dem zweiten Satz.‹

ER SAH MICH LANGE AN. Seine Augen hatten das Feuer des Spotts verloren und einen müden, dunklen Glanz angenommen.

Zum ersten Mal bemerkte ich eine Schwermut und Resignation, die vielleicht den größeren Teil seiner seltsamen Persönlichkeit ausmachte.

Dann stand er plötzlich auf, zog mich zu meiner Verblüffung an sich, nahm meinen Kopf in beide Hände und küßte mich auf den Mund. Dabei flüsterte er wieder und wieder: ›Mein Freund, mein lieber, lieber Freund!‹

Wie ein Ertrinkender klammerte er sich an meinen Hals, er fing an zu schluchzen, und ich fühlte seine Tränen auf meiner Haut. Ein Gefühl des Schreckens, ja des Ekels überkam mich, und mit großer Kraft stieß ich ihn von mir.

Er taumelte zurück, starrte mich ungläubig an und sagte dann mit einer Stimme, in der sich Enttäuschung und Verachtung miteinander verbanden:

›Worauf warten Sie, mein Lieber, nichts in diesem Leben ist von Dauer, nicht wahr!? Sie haben drei Minuten, nach unserer Zeitrechnung, mehr Kraft hat die kleine Feder nicht, die die Walze im Inneren des Gehäuses antreibt …

Erweisen Sie sich wenigstens der Marquise würdig,

und es wird eine Ewigkeit dauern, bis die kleine Tänzerin stillsteht.

Im übrigen sehen Sie dem seligen Vialli wirklich ganz außerordentlich ähnlich, wie aus dem Gesicht geschnitten, aber das sagte ich ja schon.

Und nun gehen Sie!‹

Oh, Wilhelm, wäre ich doch umgekehrt, hätte ich nur erkannt, daß Amadé meinen Untergang wollte und ich in mein Verderben lief!

Da wurde es plötzlich hell im Raum. Das Gemälde glühte in allen Farben, die Gestalt der Marquise schien plastisch aus dem Bild herauszutreten, und ehe ich merkte, wie mir geschah, hatte ich im Sog einer rasenden Bewegung mein Bewußtsein verloren ...«

JEAN-LUC SCHWIEG.

Wolken hatten sich vor den Mond geschoben, und so konnte ich nicht sehen, was sich in seinem Gesicht abspielte.

Sein Schweigen war so tief, daß es sich erübrigte, Fragen zu stellen. Also stand ich auf, legte ihm die Hand auf die Schulter und bat ihn, noch ein wenig zu bleiben.

Er nickte, und ich ging, um die Flasche Wein zu holen und die Gläser, die ich auf der Terrasse hatte stehen lassen.

Mir war klar, daß er meine Abwesenheit nutzen würde, um zu verschwinden.

Als ich wieder hinaustrat, warf der Mond, der für einen Augenblick aus den Wolken herausgetreten war, sein Licht auf die Wiese bis hinunter zum Fluß.

Von Jean-Luc aber war nichts mehr zu sehen.

EIN HALBES JAHR SPÄTER – ich hatte die Geschichte schon fast vergessen – rief mich Philippe aus Paris an. Er befand sich in der Postproduktion seines Films und wollte die Termine für eine Synchronisation mit mir abstimmen. Am Ende des Gesprächs fragte ich ihn nach Jean-Luc.

Er machte eine lange Pause, dann räusperte er sich und sagte, daß man ihn kurz nach Ende der Dreharbeiten in einer Waldlichtung bei Aumont gefunden hätte. Er hatte sich in einer alten Linde erhängt.

Bald nach dem schrecklichen Vorfall, so fügte er hinzu, sei ein Brief bei ihm eingetroffen. Obwohl die Adresse in Großbuchstaben auf dem Umschlag angebracht worden war, glaubte er doch, Jean-Lucs Handschrift erkannt zu haben.

Dieser Brief sei an mich adressiert.

ZWEI WOCHEN NACH unserem Telephonat traf ich in Paris ein und Philippe händigte mir den Brief aus.

Ich steckte ihn ein, um ihn am Ende des Tages in aller Ruhe im Hotel zu lesen.

Als ich das Synchronstudio, das sich in einer kleinen Straße am Rande von St. Denis befand, gegen acht Uhr abends verließ, herrschte draußen tiefe Nacht. Trotzdem war es hell, denn es hatte über Stunden stark geschneit, und die Stadt lag unter einer leuchtendweißen Schneedecke.

Ich nahm die Metro zur Station George V, lief in mein Hotel in der Rue Keppler, ging auf mein Zimmer und setzte mich aufs Bett.

Ich konnte es nicht fassen.

Jean-Luc hatte sich das gleiche Ende gesucht wie Séraphine.

War er Opfer einer überbordenden, kranken Phantasie geworden, oder hatte er tatsächlich etwas gesehen, was ihn überrollt hatte wie eine alles verschlingende Welle?

Plötzlich kam mir dieser seltsame deutsche Offizier in den Sinn, von dem der Marquis gesprochen hatte. Er war der einzige konkrete Anhaltspunkt im Flusse eines wahnwitzigen Berichtes: Friedrich von Rotha.

Irgendeine Spur von ihm würde zu finden sein, wenn

aus Jean-Luc nicht nur blanker Irrsinn gesprochen hatte.

Ich ließ mir eine Flasche Rotwein aufs Zimmer kommen, und nachdem ich zwei Gläser getrunken hatte, beruhigte ich mich allmählich. Schließlich zog ich den Brief hervor, öffnete ihn vorsichtig und entnahm ihm ein Blatt Papier.

Es war leer.

LANGE SASS ICH NOCH WACH und versuchte Ordnung in meine Gedanken zu bringen.

Was hatte mir Jean-Luc mit seinem Brief sagen wollen?

Ein Brief, der keiner war.

Ein Irrtum vielleicht, ein Zeichen fortgeschrittener Verwirrung, oder enthielt das unbeschriebene Blatt Papier etwa eine geheime Botschaft, geschrieben mit unsichtbarer Tinte, die zu entschlüsseln er mich aufforderte?

Ich dachte an Séraphine, den Geiger Vialli, Amadé, Arabella und die schöne Marquise, und ich fragte mich, ob diese Gestalten in irgendeiner geheimen Beziehung zueinanderstanden oder ob sie nur ein launiges Schicksal willkürlich und ohne tieferen Sinn miteinander verbunden hatte.

Bevor ich mich schließlich müde und verwirrt ins Bett legte, hatte ich beschlossen, in Frankreich zu bleiben und gleich am nächsten Tag nach Aumont zu fahren, um Jean-Lucs Spur aufzunehmen.

IN DER NACHT SANKEN die Temperaturen in Paris auf ein Niveau, wie man es dort nur selten erlebt, und als ich am nächsten Morgen aufbrach, um mir in der Nähe des Gare St. Lazare ein Auto zu mieten, waren schon überall Fahrzeuge der städtischen Verwaltung unterwegs, um Sand oder Salz auf die vereisten Straßen zu streuen.

Die Dächer und oberen Etagen der prächtigen Gebäude am Boulevard Haussmann brannten im scharfen Licht der Morgensonne, während die Menschen in den schattigen Häuserschluchten frierend und mit weißem Atem vor den Mündern ihrer Arbeit entgegeneilten.

Gegen zehn Uhr verließ ich die Stadt und machte mich auf den Weg nach Senlis, die Abzweigung hinter der Tankstelle in Aumont, von der Jean-Luc berichtet hatte, fand ich ohne Probleme.

Nach einer Fahrt über die verschneite Landstraße, die mir schier endlos schien, kam ich schließlich durch Apremont, aber Vineuil, das auf einem verschrammten Straßenschild angekündigt war, tauchte nicht auf.

Ich mußte bald eine Stunde weitergefahren sein, ohne auf irgendeine Spur von Zivilisation zu stoßen, als ich über eine schadhafte, hölzerne Brücke kam, unter der sich ein kleiner Fluß staute.

VIEL UNGEREIMTES und Merkwürdiges hatte ich mit dieser Filmproduktion schon erlebt, aber das, was jetzt geschah, stellte alles in den Schatten.

Ich hielt den Wagen an und stieg aus.

Vor ein paar Stunden erst war ich im winterlichen Paris losgefahren, über verschneite Landstraßen, hatte diese kleine Brücke überquert, und nun war schlagartig alles anders.

Es herrschten Temperaturen von nahezu dreißig Grad, alles war grün, blühte und leuchtete, die Lerchen standen am wolkenlosen Himmel und sangen, es war Sommer. Und was für ein Sommer! Als hätte er hier schon vor langem Einzug gehalten und es nie einen Winter gegeben.

Träumte ich, oder war ich unversehens in eine Welt hineingeraten, die sich dicht neben der unseren befand und ihr Dasein parallel gestaltete? Unsichtbar für uns, doch ebenso real für jene, die ihrer Sphäre angehörten?

An irgendeinem Punkt, so ging es mir durch den Kopf, mußte ich eine Trennungslinie durchstoßen haben, eine unsichtbare Wand, eine Art Membran, die beide Welten so radikal voneinander trennte, daß keine von der anderen wußte.

Ohne darauf zu achten, war ich in Gedanken auf der schmalen Straße weitergelaufen.

Der Teerbelag war Sand und hellem Schotter gewichen, und in sanfter Windung lief sie auf ein Wäldchen zu, das sich in einiger Entfernung auf einer Anhöhe hinter einem Getreidefeld erhob.

An der Stelle, wo sie im Wald verschwand, war linker Hand eine kleine, weiße Kapelle zu erkennen.

Ich blickte zurück, um nach meinem Fahrzeug zu sehen, aber dort, wo ich es vermutete, stand es nicht mehr. Ich überlegte, was ich tun sollte, da zerriß lautes Motorengeräusch die Stille dieses unwirklichen Sommertags.

VOM WALDRAND HER bewegten sich zwei schwarze Limousinen auf mich zu, wie ich sie aus alten Filmen kannte. Und als sie näher kamen, sah ich, daß es ein Horch und ein Mercedes waren, beide wenigstens siebzig Jahre alt.

Ich weiß nicht genau, warum, aber ich hatte das Gefühl, es wäre besser, man würde mich nicht sehen, und so sprang ich ins Feld hinein und versteckte mich hinter einem der Schlehenbüsche, die den Straßenrand säumten.

Keine zwanzig Meter hinter mir hielten die Wagen knirschend an, und aus dem vorderen stiegen drei Männer, die Uniformen der deutschen Wehrmacht trugen. Es waren höhere Offiziere, und an den Schulterklappen und dem roten Kragenspiegel erkannte ich, daß der älteste unter ihnen ein General war.

Die Männer wirkten äußerst angespannt, und der General sprach ein paar Worte, die ich nicht verstand, während die beiden anderen betreten zu Boden blickten.

Eine Weile lang geschah nichts.

Sie standen schweigend da, dann schüttelten sie sich die Hände.

Der General zog seine Mütze vom Kopf, überreichte sie einem von ihnen, grüßte militärisch knapp und lief dicht an mir vorbei ins Feld hinein, das von hohem Gras bestanden war.

Nun ging alles sehr schnell, und ich hatte keine Zeit, darüber nachzudenken, ob ich Zeuge einer phantastischen Inszenierung oder eines wirklichen Vorgangs war.

Es schien verrückt, und doch spürte ich sehr real, wie mir das Herz bis zum Halse schlug.

Vorsichtig richtete ich mich auf, aber so, daß man mich nicht sehen konnte.

Der General war etwa zehn Meter von mir entfernt stehengeblieben und hatte sich ins Gras gekniet. Er hielt eine Pistole in der Hand und starrte hinaus ins Land auf einen Punkt, der in dieser Welt gewiß nicht existierte. Dann führte er die Waffe zum Kopf und setzte sie an die Schläfe. Seine Hand zitterte, und seine Augen waren geschlossen.

In dieser Haltung verharrte er. Er sprach leise, murmelte unverständliche Worte als betete er, öffnete kurz die Augen, und ich sah, daß er weinte.

Dann fiel ein Schuß. Nicht sehr laut, abgedämpft von der robusten Substanz des Schädels. Der Kopf kippte nach vorn, und er fiel seitlich ins Gras.

Ich sprang auf und sah, daß ihm Blut aus Mund und Nase schoß. Ein rotes Rinnsal lief aus einem kleinen Loch an der rechten Schläfe.

Er stöhnte, und seine Arme und Beine zuckten, als hätte ihn ein Anfall umgeworfen.

In der Absicht, sich zu töten, mußte er den Schuß falsch angebracht haben und hatte sich dabei nur schwer verletzt.

Auf einmal packte mich jemand von hinten und stieß mich hart zur Seite.

Es war einer der beiden Offiziere, dem ich wohl im Wege gestanden war und der mich jetzt für eine Sekunde ungläubig anstarrte. Dann stürzte er weiter auf den Schwerverletzten zu, kniete sich neben ihn hin, nahm seinen Kopf in die Hände, fühlte den Puls und blickte hilflos und verzweifelt zu seinem Kameraden.

Der kam herbeigerannt und dann noch ein weiterer, der wohl aus dem hinteren Fahrzeug gestiegen war. Zu dritt hoben sie den stöhnenden Mann vom Boden auf und trugen ihn zurück zur Straße. Die hintere Tür des Horch wurde aufgerissen, sie wuchteten ihn auf die Rückbank, wechselten erregt ein paar Worte, dann schlossen sie die Türen und fuhren in hohem Tempo davon.

DER SCHWARZE MERCEDES stand jetzt allein auf dem erhitzten Sträßchen, und die Sonne spiegelte sich friedlich in seinem glänzenden Lack.

»Was in aller Welt machen Sie hier, Wilhelm? Haben Sie nicht gehört, was passiert ist?

Kommen Sie, steigen Sie ein, wir fahren ins Schloß. Sie können nicht mehr zurück nach Paris!«

Der Offizier, der neben den Mercedes trat und den Rang eines Majors bekleidete, war hochgewachsen und hatte ein offenes, angenehm geschnittenes Gesicht. Die

Uniform, maßgeschneidert, saß perfekt, die Mütze hatte er leicht auf die Seite gedrückt. Offensichtlich hielt er mich für eine Person, die er gut kannte.

Ich beschloß abzuwarten. Was sollte ich auch sonst tun? Ich konnte ohnehin nichts ändern, war Spielball eines Vorgangs, den ich nicht verstand und auf den ich nicht den geringsten Einfluß hatte.

»SCHLIMMER HÄTTE ES NICHT kommen können«, sagte der Major, als ich neben ihm im weichen Ledersitz des Autos Platz nahm.

Er zündete sich eine Zigarette an, zog den Rauch tief in die Lunge und blies ihn gegen die Windschutzscheibe, wo er sich zerfasernd das Fensterglas entlangstrich.

»Der arme Mensch! Eine Katastrophe jagt die nächste! Wenn er durchkommt, werden sie ihn hängen. Es wäre besser gewesen, wir hätten seine Entscheidung respektiert und vollendet, was er nicht schaffte ...«

Um irgend etwas zu sagen, bestätigte ich seine Ansicht, fügte aber hinzu, ich hielte die Schußverletzung für so gravierend, daß er die nächsten Stunden bestimmt nicht überleben würde.

Er sah mich kurz mit zusammengezogenen Brauen an und nahm einen weiteren Zug aus seiner Zigarette.

»Sie sollten sich auch aus dem Staub machen, Wilhelm! Fahren Sie bloß nicht in Ihr Amt zurück, da werden die Henker auch nach Ihnen suchen, setzen Sie sich in den Süden ab, oder halten Sie sich versteckt, bis die Engländer und Amerikaner hier sind. Das kann nicht mehr lange dauern, gestern ist die Front bei Caen zusammengebrochen. Wer hätte nur für möglich gehalten, daß dieser Hund überlebt?!«

Er schwieg und blickte seufzend durchs Seitenfenster auf die weite, makellose Sommerlandschaft.

Dann sagte er leise: »Wir sind von Gott verlassen, und alles um uns her zerbricht.«

Als er sich zu mir drehte, sah ich in das Gesicht eines Menschen, der tief erschüttert und dem jede Hoffnung abhanden gekommen war. Aber er bewahrte Haltung, und es war deutlich, er hatte es so gelernt, und es war Teil seiner Natur geworden.

Und obwohl er ihm gar nicht ähnlich sah, erinnerte er mich an Jean-Luc, wie er mir im Hotel begegnet war, kurz bevor er endgültig verschwand.

Er ließ den Motor an und schaukelnd setzte sich der Wagen in Bewegung.

Als wir in den Wald hineinfuhren, wußte ich sofort, daß es derselbe war, den Jean-Luc beschrieben hatte.

Wir waren an der weißen Kapelle vorbeigekommen, und jetzt sah ich, wie der dichte Tannen- und Fichtenbestand allmählich einem Buchenwald Platz machte, in dessen lichter stehendem Gehölz Sonnenstrahlen und Schatten einander heiter umspielten.

DAS SCHLOSS WIRKTE weitaus größer, als ich es mir in Jean-Lucs Bericht vorgestellt hatte. Das Eingangstor stand unbeschädigt und offen, und wir fuhren in den Innenhof, der eingefaßt war von Ställen und mehrstöckigen Wirtschaftsgebäuden. Seinen Mittelpunkt aber bildete ein imposanter Springbrunnen aus rotem Marmor, dessen drei sich nach oben hin verjüngende Wasserschalen riesige, exotische Meeresmuscheln darstellten. (Mir schien, als hätte ich ihn irgendwann schon einmal gesehen.)

Der zentrale Teil des Schlosses bestand in einem mächtigen Turm aus hellem Quaderstein mit Schießscharten, kleinen, rechteckigen Fenstern und kegelförmigem Dach, von dem die zwei ausladenden Wohnflügel abgingen, die einer späteren Bauperiode angehörten.

Die sattelförmigen Hauptdächer trugen Schornsteine unterschiedlicher Größen und waren mit verschiedenfarbigen Ziegeln bedeckt, deren lasierte Oberflächen hübsch in der Sonne glänzten.

Links neben dem Turm befand sich auf Höhe des ersten Stockwerks der Haupteingang des Schlosses, zu dem eine breite, geschwungene Treppe beiderseits der Mauer hinaufführte.

Diese nun kam ein Mann im Alter von höchstens dreißig Jahren in großer Eile herabgestiegen, der uns noch am Auto in Empfang nahm und sorgenvoll begrüßte.

Dem erregten Gespräch zwischen ihm und dem Major entnahm ich, daß es sich um den Schloßbesitzer handelte, denn der Major hatte ihn als Marquis angeredet.

Dann fiel auch der Name des Schlosses: Montrague.

Auf dem Innenhof selbst herrschte ein hektisches Treiben, und obwohl ich immer noch nicht wußte, was sich hier eigentlich abspielte, spürte ich doch die beklemmende Atmosphäre, die über allem hing und eine sich unaufhaltsam nähernde tödliche Gefahr anzukündigen schien.

Ein paar Soldaten kamen aus einem der Wirtschaftsgebäude und schleppten Kisten, die sie auf einen bereitstehenden Lastwagen warfen, ein Mann, der ein Fenster des rechten Flügels aufgerissen hatte, rief einer Gruppe von Arbeitern, unter denen auch ein deutscher Offizier stand, etwas auf französisch zu. Er schloß das

Fenster wieder, und zwei Motorräder mit Beiwagen, in denen sich Akten und Dokumente stapelten, brausten unter höllischem Lärm davon.

Es war, als wäre ich in einen Kriegsfilm hineingeraten, der verblüffend echt und geschickt inszeniert war.

DER MAJOR UND SEIN Gastgeber waren vor einer niedrigen, massiven Holztür stehengeblieben, die am Fuße des Turmes eingelassen war, und winkten.

»Wilhelm«, rief mir der Major zu und musterte mich von Kopf bis Fuß, »nehmen Sie es mir bitte nicht übel, aber was ist das für eine seltsame Kostümierung, die Sie da tragen? Der letzte Schrei aus Paris?«

Ohne meine Antwort abzuwarten, folgte er dem Marquis durch die Tür. Einer von beiden lachte.

Ich stutzte. Hatten sie sich angegrinst, bevor sie verschwanden? Ich meinte, es gesehen zu haben. Aber vielleicht war ich überreizt und bildete mir Dinge ein, die es nicht gab. Oder trieben sie tatsächlich ein Spiel mit mir? War alles um mich herum nur Täuschung und Kulisse und das vermeintliche Damoklesschwert, das drohend über allem hing, am Ende nichts als eine phantastische Attrappe?

Wo befand ich mich, und wie wirklich war das, was sich hier abspielte?

Lag ich nicht doch in meinem Hotelbett in der Rue Keppler und träumte?

Ich versuchte mich aufzuwecken. Aber es gelang nicht.

Ich war wach.

Tatsächlich hatte ich an mein Äußeres bislang keinen Gedanken verschwendet, doch der Major hatte recht. Meine Kleidung war zwar unauffällig, die Farben eher altmodisch gedeckt, aber weder Jacke noch Hose oder Schuhe paßten zum Stil der Zeit, in die ich geraten war, und mußten mindestens befremdlich wirken.

AUF EINER HOLZKISTE, die neben der Tür stand, hatte jemand eine Zeitung liegenlassen.

Ich nahm sie an mich, es war ein französisches Journal. Auf der Titelseite wurde von Kämpfen berichtet, die sich in der Normandie abspielten. Das Datum war der 21. Juli 1944.

Im unteren Teil stand ein Bericht über einen Anschlag auf den deutschen Diktator im fernen Ostpreußen.

Die militärischen Widerstandsgruppen in Frankreich hatten sofort losgeschlagen und führende Köpfe von SS und SD in Paris verhaftet, als die Nachricht eintraf, der Diktator hätte den Anschlag entgegen anderslautender Meldungen nicht nur überlebt, sondern sei dabei fast unverletzt geblieben.

Die Vorgänge, die ich den Tag über beobachtet hatte und in die ich nun mit hineinzurutschen drohte, waren das tragische Nachspiel eines längst überfälligen Staatsstreiches, der am Tage zuvor gründlich mißlungen war.

Ich befand mich also etwa sechzig Jahre vor meiner Zeit.

Der Tatbestand einer Zeitreise war zwar faszinierend, und insgeheim hatte ich mir so etwas auch immer gewünscht, aber nach allen Gesetzen der Physik war das, was ich hier erlebte, unmöglich.

Was vorbei war, war vorbei und konnte niemals zurückgeholt werden.

Und doch widerfuhr mir gerade genau das.

Abgesehen von meiner Angst, nicht mehr zurückzufinden, erschreckte mich der Gedanke, im schlimmsten Jahr angekommen zu sein, das Europa seit Menschengedenken erlebte.

Es herrschte ein mörderischer Krieg, und ganz offensichtlich verkörperte ich eine Person, bei der ein falscher Schritt oder eine unbedachte Entscheidung fatale Folgen haben würde.

Das Bedrohlichste aber war, daß ich weder die Person, für die man mich hielt, noch ihre Lebensgeschichte kannte und unmöglich wissen konnte, wie ich mich zu verhalten hätte, sollte eine bestimmte Situation dies von mir verlangen.

Ich versuchte diese mißlichen Gedanken zu verdrängen und trat durch die Tür.

Ein paar Treppenstufen führten weiter nach unten, und es tat sich ein überraschend großer, hoher Raum auf. Das gemauerte Deckengewölbe wurde von zwei in der Mitte stehenden Granitsäulen getragen. Kamin, Refektoriumstisch und die üppigen animalischen Wanddekorationen, Hirschgeweihe, Federwild, Pelz- und Borstentiere, aus dem Leben geschossen und in angespannter Haltung konserviert, entsprachen ziemlich genau Jean-Lucs Beschreibung der Küche, die er gesehen hatte.

Beide – Marquis und Major – aber waren verschwunden.

NACH DEM LÄRM UND der Hektik draußen war es hier wohltuend still, und ich setzte mich auf eine Holzbank in die Nähe des Eingangs.

Von der Decke, dort wo die Rundungen des Gewölbes an ihrem höchsten Punkt einander berührten und die Statik der Konstruktion vollendeten, hing ein schwerer, gußeiserner Leuchter, der ein diffuses, schummriges Licht verbreitete. Alles im Raum war sichtbar, aber es schien nur halb vorhanden, und als ich im rechten Winkel meines Auges einen Schatten bemerkte, dachte ich erst, es sei nichts weiter als eine plötzliche Eintrübung des Blicks, dem unsteten Licht der elektrischen Glühbirnen geschuldet.

Ich hatte mich noch nicht umgewandt, um zu sehen, was es genau war, da sprang etwas Dunkles von der Wand und landete flatternd auf dem Fußboden.

Es war eine Bekassine, eine Art Schnepfe, mit auffällig langem, spitzem Schnabel, die eben noch ausgestopft und mausetot auf dem Konsolenbrett der hölzernen, den Raum umlaufenden Wandverkleidung gestanden hatte.

Der Vogel, von der Größe einer Taube, schüttelte die verstaubten Federn seines seit einer Ewigkeit unbenutzten Gefieders, stakste unsicher auf dem Fußboden umher, machte einen hilflosen Flugversuch und hüpfte schließlich durch eine Tür, die sich rechts des gewaltigen Kamins auftat.

Nun fing es überall an, sich zu regen, zu schütteln, zu bewegen, und neues Leben fuhr in die präparierten Tiere wie ein satanischer Funken.

Ein Marder sprang fauchend auf den Refektoriumstisch und riß einen Steinkrug und mehrere Gläser zu Boden, wo sie scheppernd zersprangen, ihm folgten ein Dachs und ein kleiner Fuchs, die schnell im hinteren Teil des Raums verschwanden.

Auerhähne, Falken, Schleiereulen und Birkhühner rissen sich von ihren Holzbrettchen und Ästen los, auf die man sie vor Zeiten befestigt hatte, flatterten kreischend von der Wand und schlugen erschreckt mit ihren Flügeln, daß die Federn nur so durch den Raum wirbelten.

Ich suchte diesem animierten Tohuwabohu zu entkommen, das innerhalb kürzester Zeit entstanden war, fand den Ausgang nach draußen aber seltsamerweise verschlossen und lief nun einigermaßen panisch durch die Türe neben dem Kamin in einen dunklen Gang hinein, an dessen Ende eine steinerne Wendeltreppe in die oberen Stockwerke führte.

Eine Weile noch hörte ich das Gekreische und Gefauche aus dem Gewölbekeller – fast klang es, als fielen die Tiere dort unten übereinander her –, aber indem ich die Treppe höher stieg, wurde der Lärm leiser, bis er schließlich ganz verstummte.

Ich mußte mich im Hauptturm befinden, denn plötzlich sah ich rechts von mir eine Schießscharte, die in eine Nische eingelassen war und einen schmalen Streifen Tageslicht ins Innere ließ. In diesen Lichtstrahl setzte ich mich hinein, um durchzuatmen und zu überlegen, was ich tun sollte.

Ich betrachtete meine Hände, sie waren rot und zitterten vor Aufregung.

Daß ich nicht in Panik ausbrach, war, glaube ich, dem Umstand zu verdanken, daß ich das Gefühl hatte, dieser sonderbaren Kette von Ereignissen wohne ein tieferer Sinn inne, der sich mir am Ende enthüllen würde, um im nachhinein alles klar, logisch und verständlich erscheinen zu lassen.

Im Augenblick aber kamen mir die Dinge verworren und sinnlos vor, und wie in einem Traum, der seine eigenen, unergründlichen Wege beschreitet, würde es nur schlimmer, wollte man ordnend in die Geschehnisse eingreifen.

Ich beruhigte mich allmählich und beschloß, einfach abzuwarten, denn bislang hatte doch immer eines das andere ergeben, auch wenn jeder neue Schritt, den ich machte oder zu machen gezwungen war, voll bedrohlicher Überraschungen steckte.

ACH, ES WAR MUSIK aus einer anderen Welt, die plötzlich an mein Ohr drang!

Ohne es zu merken, war ich aufgestanden und lauschte

den glasfeinen Tönen und perlenden Glissandi eines Cembalos oder Spinetts, die wie ein kühler, belebender Lufthauch durch das stickige Treppenhaus des Wehrturms strichen.

Ich stieg die Wendeltreppe weiter hinauf, gezogen von einer Kraft, die keinen Widerstand zuließ, bis ich schließlich vor einer Türe stand, die links vom Treppenhaus abging.

Als ich sie öffnen wollte, fuhr ich erschreckt zurück.

Auf der Schwelle, erfaßt vom unteren Ende eines Lichtstrahls, der durch einen der seitlichen Mauerschlitze fiel, lag die kleine Bekassine in ihrem Blut. Ihr Kopf war abgebissen. Der braungefiederte Körper lag auf dem Rücken, die Beinchen waren abgespreizt, und die etwas hellere Brust zeigte nach oben.

Ich stieg über den toten Vogel hinweg, stieß die Türe auf und stand in einem Korridor, dessen linke Seite von einer Flucht hoher Fenster gesäumt war. Er schien endlos lang, und trotz des einfallenden Tageslichts verlor er sich an seinem Ende im Dunkeln.

Da war sie, die Musik!

Zwei Cembali, so schien es mir, erklangen aus einem der Säle, die weiter hinten am Korridor lagen – und mit welcher Meisterschaft sie gespielt wurden! Das eine setzte im Baß einen markanten, treibenden Rhythmus, während das andere, ein Thema des ersten aufnehmend, nach oben hin ausbrach und im Diskant mit schnellen, quecksilbrigen Läufen, Trillern und Fiorituren triumphierte.

In immer neuen Variationen blitzte dieses Thema auf, flog von Instrument zu Instrument, änderte die Tonart, modulierte sich nach Moll und brach schließlich mit einem in die Tiefe stürzenden Glissando abrupt ab, als würde einer munter in den Himmel schießenden Fontäne plötzlich das Wasser abgedreht.

EINEN AUGENBLICK LANG herrschte angespannte Stille, ein Stuhl wurde gerückt, und ich vernahm deutlich das helle Lachen eines Kindes.

Dann war es wieder still.

Und in diese Stille hinein begann erneut eines der beiden Cembali, setzte behutsam Ton an Ton, und wie aus kunstvoll aufgetragenen Farbtupfern unvermittelt die Umrisse eines Gesichts, einer Blume oder Landschaft hervortreten, formte sich eine Melodie, klar, empfindsam und mir so vertraut, als hätte sie schon immer im Verborgenen geklungen und war nun unversehens an die Ohren der Welt getreten.

Indem ich nun ganz verzückt dieser Musik lauschte, die die luzide Struktur einer Bachschen Fuge mit der empfindsamen Tiefe einer romantischen Sonate verband, war mein Blick auf einen Gobelin gefallen, der rechts von mir zwischen zwei hohen, verschlossenen Türen hing.

Er kam mir bekannt vor, und plötzlich erinnerte ich mich. Eine ländlich-idyllische Szene, hübsch herausgeputzte Menschen – Land- und Edelleute –, die unter einem mächtigen Laubbaum zur Musik dreier Lautenspieler tanzten.

Jean-Luc hatte ihn mir so beschrieben!

Einzelne Paare ergingen sich zwischen blühenden Rabatten und in dunklen Laubengängen, ein Teich mit Schwänen schimmerte durch die Bäume, und Kinder waren zu sehen, die mit Hunden spielten oder von einem Baum ins Wasser sprangen.

Im Vordergrund saß eine Frau von grobschlächtiger Statur auf einem Stein oder Baumstumpf, eine Bäuerin wohl, einen Korb voll reifer Früchte auf dem Schoß, und sah mir direkt ins Gesicht. Es war ein wilder, erschreckter Blick, und er wirkte so lebensecht, daß ich mich fragte, wie ein Stück Stoff – und mochte er noch so fein gewebt sein – einen solch verblüffenden Effekt erzielen konnte.

Eine Hand legte sich auf meine Schulter, und ich fuhr herum.

DER MAJOR LÄCHELTE mich an. Er trug immer noch Uniform und Reitstiefel, hatte aber den Kragen geöffnet, unter dem ein weißes Hemd hervorschien. Er war in der Tat ein gutaussehender Mann, groß, mit schwarzgewelltem Haar und dunklen, ironischen Augen.

»Kommen Sie, Wilhelm, ich will Ihnen meinen begabtesten Schüler vorstellen!«

Er legte den Arm um meine Schulter und führte mich in einen prächtigen Saal, der über und über mit Stuckaturen und Spiegeln verziert war. Von hohen Fenstern hingen Vorhänge aus schwerem Brokat, die keinen Sonnenstrahl durchließen. Es herrschte tiefe, unwirkliche Nacht.

Das Feuer in einem Kamin am anderen Ende des Saales und Kristallüster, mit Dutzenden von Kerzen bestückt, sorgten für ein warmes, sich sanft wiegendes Licht.

An einem der beiden Cembali, die einander gegenüberstanden, saß ein Kind, ein Knabe von vielleicht acht, neun Jahren, auffallend klein und schmächtig.

Er hatte aufgehört zu spielen und starrte mich aus großen, milchigen Augen an. Die aschblonden Haare trug er streng auf der Seite gescheitelt, und an den Schläfen schimmerten blaue Äderchen unter einer blassen, durchsichtigen Haut.

Ich sah dieses filigrane Wesen fassungslos an.

Wie konnte ein Kind mit kleinen Händen und winzigen Fingern, ein Kind ohne Kraft und Lebenserfahrung, eine so meisterliche Musik hervorbringen, wie ich sie eben gehört hatte?

Der Major lachte. »Sie sollten Ihr Gesicht sehen, Wilhelm! Ganz seine katholische Exzellenz, der Fürstbischof von Passau, als ihm der sechsjährige Mozart auf dem Hammerklavier vorspielte!

Ich habe mir immer vorzustellen versucht, was in der Seele eines Menschen vorgeht, wenn er unvermittelt Zeuge einer göttlichen Begabung wird und fühlt, wie der rastlose Betrieb der Welt plötzlich zum Stehen kommt. Seine katholische Exzellenz verlor alle Farbe im Gesicht, wie Sie jetzt, und hat seiner fürstbischöflichen Schatulle einen Dukaten entnommen und ihn dem jungen Wolfgang Amadé zugesteckt.

Was werden Sie tun, Wilhelm?«

Ich öffnete den Mund, wußte aber nichts zu antworten.

Da sprang das Kind mit einem Satz vom Stuhl und schloß den Deckel der Tastatur. Es ragte kaum über das Instrument, und so sah ich seinen Kopf, nicht größer als eine Kokosnuß, langsam um das Cembalo herumwandern, bis der Knabe schließlich in seiner ganzen Erscheinung vor mir stand.

Er hielt eine Spieluhr in der Hand, auf der sich eine kleine Porzellanfigur befand.

Ich spürte, wie mich Gänsehaut überlief. Mit dem Knaben stimmte etwas nicht, er war mir unheimlich, ja fast widerwärtig.

WAS IN ALLER WELT ging hier vor? Hinter mir stand ein Offizier der deutschen Wehrmacht in Uniform – wie dieses seltsame Kind selbst ein Virtuose auf dem Cembalo. Er hielt mich für jemanden, der ich nicht war, und wir befanden uns in einem Saal, der vor zweihundert Jahren nicht anders ausgesehen hätte.

Ich beschloß, der Beklemmung, die sich meiner bemächtigen wollte, keinen Raum zu geben, und dankte dem Jungen für die wundervolle Musik, die ich draußen auf dem Korridor hätte genießen dürfen. Ich beglückwünschte ihn zu seinem außerordentlichen Talent und fragte, von wem die schöne Melodie gewesen sei, die er zum Schluß gespielt habe.

»Oh, die ist hübsch, nicht wahr!« rief der Knabe mit leuchtenden Augen. »Onkel Giambattista hat sie für Marie-Élisabeth geschrieben, er spielt sie auf der Violine, und wir begleiten ihn dazu. Es ist ein solcher Spaß, Monsieur, und es freut mich, daß sie Ihnen gefällt! Ich werde es den beiden unbedingt erzählen.«

Er sah zum Major hinüber, der ihn zärtlich betrachtete.

Plötzlich, wie es gekommen war, verschwand das Lächeln aus seinem Gesicht, und der Knabe wandte sich mir wieder zu.

»Au revoir, Monsieur«, sagte er, »et revenez bientôt!«

Er reichte mir seine Hand, die erschreckend kalt war, setzte die Spieluhr in Gang und stellte sie auf eine Kommode.

Die kleine Figur begann sich zu drehen, eine Melodie erklang, zart und filigran wie der Flügel eines Schmetterlings, und der Junge lief in den anderen, dem Kamin entgegengesetzten Teil des Saales, an dessen schattigem Ende ein großes, nachgedunkeltes Gemälde hing.

Ich konnte die Einzelheiten darauf nicht erkennen, dafür stand ich zu weit entfernt, sah aber, daß es das Portrait einer Frau war, die vor irgendeinem Hintergrunde an einem Möbelstück oder Instrument saß.

Plötzlich fing das Gemälde an zu leuchten, ja es glühte geradezu, und mir schien, als löse sich die Frauengestalt von der Leinwand und schwebe wie ein geheimnisvolles Hologramm in den Raum. Der Knabe aber erhob sich in die Luft, und als hätte ihn das Bild mit gewaltiger Kraft angesogen, flog er wie ein Pfeil hinein und war im Bruchteil einer Sekunde verschwunden.

Da begriff ich, daß er niemand anderer war als Amadé!

Derselbe, der wie ein Nachtfalter durch den Bericht Jean-Lucs geflogen war, derjenige, der tief in sein Leben eingegriffen und ihm den Weg in eine andere Welt gewiesen hatte.

Der aufgeschwemmte, einsame, zynische Schöngeist, dem Jean-Luc begegnet war, hier sah ich ihn am Ausgangspunkt seines Lebens, ein genial begabtes, durchsichtiges Kind, sechzig Jahre früher.

Ich ging auf das Gemälde zu.

Schon aus einiger Entfernung erkannte ich die Anmut und überwältigende Schönheit dieser Frau.

Sie saß an einem Spinett und lächelte mich an.

Ich spürte, wie sich etwas in meiner Brust zusammenzog, und für einen Augenblick rang ich nach Luft.

Als hätte ich den Kopf verloren, empfand ich nur noch meinen Körper, der sich mit einem unheilvollen Virus infiziert zu haben schien.

»KOMMEN SIE ZURÜCK, Wilhelm!« rief der Major, und seine Stimme hatte zum ersten Mal den herrischen Ton eines Soldaten. »Schauen Sie die Marquise nicht zu lange an, es ist nicht gut für Sie!

Seit bald drei Jahren versuche ich ihr zu widerstehen,

und es gelingt mir nur, weil ich mich immer wieder zwinge, nicht auf das Bild zu sehen. Kommen Sie, und setzen Sie sich neben mich!«

Er zeigte auf einen zierlichen, mit blaßrotem Seidenstoff bezogenen Empiresessel, dessen Armlehnen die Tatzen einer Raubkatze nachbildeten.

Ich war zögerlich zurückgelaufen und setzte mich neben ihn an den Kamin.

Wir schwiegen und sahen ins Feuer.

Das Holz knisterte, und die Flammen fauchten und loderten, als wollten sie die Zeit verbrennen.

Das Gemälde war wieder in den Schatten zurückgesunken, und nichts wies darauf hin, daß ich gerade einen ganz und gar unglaublichen Vorgang beobachtet hatte.

Ich fragte mich, was aus dem kleinen Amadé geworden war und was wohl passieren würde, wenn die Spieluhr mit erschöpftem Laufwerk stehenbliebe.

Als hätte er meine Gedanken gelesen, erhob sich der Major und ging zur Kommode hinüber.

Er betrachtete die Spieluhr, die kurz aus dem Tritt gekommen, dann aber doch weitergelaufen war. Sie drehte sich ruhig im Kreise, die Musik klimperte, und die kleine Ballerina klapperte mit den Augendeckeln und hob ihre Ärmchen in die Höhe.

Er schien zufrieden und setzte sich wieder in den Sessel neben mich.

»Er wird nicht lange auf der anderen Seite bleiben, unser kleiner Amadé«, sagte er. »Viallis siebte Sonate, an der sie arbeiten, hat nicht die Länge seiner frühen Kompositionen. Dafür ist sie viel raffinierter konstruiert, von empfindsamer Leichtigkeit und besitzt schon jene hinreißende Selbstverständlichkeit, die für ihn später so typisch war ...«

Allmählich hatte ich genug, irgend etwas in mir reagierte gereizt. Was interessierte mich Giambattista Vialli, von dem ich im übrigen noch nie gehört hatte? Ich wollte wissen, was es mit Amadé und diesem Bild auf sich hatte und welche Rolle die Marquise spielte, deren Augen ich in meinem Rücken spürte und an die ich nun immerzu schmerzhaft dachte.

Also fragte ich ihn (es war das erste Mal, daß ich den Mund auftat), wie es möglich sei, in einem Gemälde zu verschwinden, und ob er glaube, daß es eine Welt hinter der Leinwand gäbe, die für uns nicht zugänglich, aber ebenso wirklich sei wie diese hier?

Dabei fiel mir ein, wie unwirklich und phantastisch der Ort eigentlich war, an dem ich mich gerade befand, und mir kam der Gedanke, daß er sich bereits hinter etwas anderem verbarg.

Ich also schon in einer zweiten oder dritten Schicht steckte.

Und wie konnte ich sicher sein, daß mein tatsächliches Leben als Schauspieler (allein schon das ein Beruf, der die Welt ja nur in ihrer Abbildung oder Spiegelung verhandelte), das mich hierher in die Picardie geführt hatte, nicht schon eine Schimäre war und ein Ursprung, eine eigentliche, eine wirkliche Wirklichkeit gar nicht existierte?

Sicher, das waren keine neuen Überlegungen. Derlei hatte ich schon öfter in anderen Zusammenhängen gedacht, wahrscheinlich hatte ich es in der Schule aufgeschnappt, bei Plato oder Calderón. Aber es waren immer nur Gedankenspielereien gewesen.

Jetzt wurde ich durch sonderbare Umstände gezwungen, mir ernsthaft den Kopf darüber zu zerbrechen, und ich fühlte, daß einiges davon abhing, zu welchem Schluß ich kam.

»ICH WILL IHNEN MEINE Geschichte erzählen, Wilhelm, zumindest den Teil, der für die Beantwortung Ihrer Frage wichtig ist«, sagte der Major und griff hinter seinen Sessel.

Er holte eine Flasche und zwei Gläser hervor und stellte sie auf das Tischchen zwischen uns.

»Im Sommer 1941 wurde ich zum Major befördert und als Offizier im Generalstab der Heeresgruppe Mitte nach Rußland abkommandiert. Nach den Kesselschlachten von Brjansk und Wjasma und den Greueltaten an der zivilen Bevölkerung, die ich vor Ort beobachtet hatte, bat ich um meine Versetzung. Dem wurde zu meinem Erstaunen stattgegeben, und man schickte mich nach Paris, um in der dortigen Militärverwaltung die Zusammenarbeit mit der französischen Polizei zu koordinieren.

Montrague war schon kurz nach der Besetzung beschlagnahmt und als Verwaltungssitz für die nördlichen Departements eingerichtet worden. Ein Teil des Schlosses verblieb bei der Familie des Marquis de Courtils.

Ich kam dort im Spätherbst 1941 an und wußte sofort, daß dieser Ort für mich von schicksalhafter Bedeutung sein würde.«

Unterdessen hatte der Major die beiden Gläser gefüllt und hielt mir nun eines entgegen. »Ein ausgezeichneter Bauernbrand, hier aus der Gegend. – Auf unseren Untergang, lieber Wilhelm!«

Er prostete mir zu, und wir tranken.

Der Schnaps brannte in der Speiseröhre, hinterließ aber einen angenehmen Nachgeschmack.

Ich lebte, ich war wach. Das spürte ich.

Plötzlich hörte ich meine eigene Stimme, aber so, als bediente sich ihrer jemand anderer. Sie sagte: »Major, bitte beantworten Sie mir eine Frage. Wen sehen Sie in mir?«

Er schenkte sich nach und fixierte mich erstaunt, als hätte er nicht recht verstanden.

»Wer bin ich?« wiederholte die Stimme, die meine war.

»Was für eine seltsame Frage, Doktor!« Er schüttelte den Kopf und lachte.

Dann sah er mir direkt und gespannt in die Augen, als wollte er bis auf ihren Grund blicken, um mich im Innersten zu erfassen und zu verstehen.

»Aber Sie haben ganz recht! Wer sind Sie eigentlich wirklich? ...«

Er zögerte ein wenig, ehe er weitersprach.

»... Gewiß nicht mehr der, der Sie vermutlich noch gestern waren, nicht wahr?! Der sympathische Herr Doktor Wilhelm, Staatssekretär im Auswärtigen Amt, mit dem ich noch vor einer Woche vier Flaschen Champagner und eine halbe Flasche Calvados bei Bofinger leerte, um diesen dreckigen Krieg zu vergessen. Mit dem ich mich betrunken habe in der idiotischen Hoffnung, wir könnten diejenigen, die ihn verantworten, endlich stoppen und zur Räson bringen. Denn, sehen Sie, ab heute bin auch ich ein anderer.

Ich habe mich auf den Weg gemacht und muß nur noch einen letzten Schritt gehen, nachher, morgen, in fünf Minuten oder einer Stunde, ganz gleich, reine Formsache ...«

Er hob das Glas an den Mund und leerte es in einem Zug. Vielleicht hatte er sich in Rußland solche Trinkmethoden angewöhnt.

»Sie haben Kopf und Kragen riskiert, lieber Doktor«, fuhr er fort, »und uns wichtige Informationen zukommen lassen. Das war mutig, und ich danke Ihnen dafür. Ihr Name taucht nirgends auf, das hatte ich versprochen.

Trotzdem rate ich Ihnen zu verschwinden. Der Marquis hat einen Wagen organisiert. Man wird Sie morgen in aller Frühe nach Orléans bringen, und von dort müssen Sie sich allein weiter nach Süden durchschlagen.«

»UND SIE, MAJOR, was werden Sie tun?«

»Ich stecke zu tief in der Geschichte. In Paris ist schon die erste Verhaftungswelle angelaufen, und es wird nicht lange dauern, bis sie den Widerstand auch außerhalb der Stadt aufrollen ...«

Er stand auf, entnahm dem Stapel Brennholz, der

sorgfältig neben dem Kamin aufgeschichtet lag, zwei Scheite und warf sie ins Feuer.

»Ich hatte gehofft, ich könnte noch einmal nach Hause fahren, ein paar letzte Sommertage auf unserem Gut verbringen, den Vater wiedersehen, die Mutter, den Ort der Kindheit, des ungetrübten Glücks …

Wie lange ist das her, und wie sehne ich mich danach, es noch einmal zu erleben! Die Stille und Strahlkraft des Himmels, die Kornfelder hinterm Schloß mit dem alten Park und den Pferdekoppeln, die tiefblauen, in Mulden versteckten Seen, und die Wolken, die sich in ihnen spiegeln wie dahingleitende Erinnerungen an eine Welt ohne Zeit …

All das wird untergehen und bald aus den Herzen der Menschen verschwinden. Jahrhunderte ausgelöscht. Nur die Erde wird bleiben, der Sand, ein Haufen Steine und vertrocknetes Gras.«

Er lachte bitter, dann ging er hinüber zu der kleinen Spieluhr, deren Töne ihren silbrigen Glanz verloren hatten. Vorsichtig zog er sie auf, da erklang die Melodie wieder lebendig und frisch, und auch die Bewegungen der kleinen Porzellantänzerin zeigten ihren alten Schwung.

Er setzte sich. Das Feuer warf ein helleres Licht auf sein Gesicht.

»Vor Weihnachten fand auf Montrague ein Exodus statt. Es gab nicht viel zu tun, und den Krieg in der Ferne merkte man kaum.

Die Offiziere und ein Großteil der Mannschaften hatten Urlaub erhalten und waren nach Hause gefahren, um die Feiertage bei ihren Familien zu verbringen. Einige gingen nach Paris.

Als einer der wenigen hielt ich die Stellung im Schloß.

Ich hatte mich inzwischen mit dem Marquis angefreundet, er ist etwa so alt wie ich, und als ich mir einen Flügel aus Paris kommen ließ, um meinen eingerosteten Fingern ihre frühere Beweglichkeit zurückzugeben, bat er mich, ihn im Kaminzimmer der Familie aufstellen zu dürfen.

Ich wollte die Ruhe und Stille der Weihnachtstage nutzen und mich mit den Klavierwerken Debussys beschäftigen, um mir das eine oder andere Stück zu erarbeiten.

Ich weiß nicht, ob ich Ihnen jemals erzählt habe, Wilhelm, daß ich vor meinem Eintritt ins Militär Konzertpianist werden wollte. Ich hatte in Berlin angefangen bei Madame Ney zu studieren, die schon damals eine berühmte Künstlerin war, aber schließlich gab ich schweren Herzens der dringenden Bitte meines Vaters nach. Ich schlug die Offizierslaufbahn ein und wollte mich später um unser Gut in Masuren kümmern.«

Das Glas, das er mir jetzt anbot, lehnte ich höflich ab. Ich merkte, daß mir der Schnaps zu Kopf stieg, er jedoch trank beide Gläser nacheinander aus.

Ich dachte, der Alkohol müßte bei ihm allmählich seine Wirkung zeigen, aber er redete unbeeindruckt weiter, konzentriert und hellwach.

»Am Nachmittag des 24. Dezember begann es heftig zu schneien, und am ersten Weihnachtstag lagen Schloß und Park unter einer strahlendweißen Schneedecke. Ich erinnere mich deshalb genau, weil diese himmlische Dekoration so pünktlich eintraf, als hätte man sie direkt beim lieben Gott bestellt.

Der Marquis hatte mich an diesem Abend zum Essen eingeladen. Gegen acht Uhr fand man sich im Speisezimmer ein. Es waren außer mir nur vier Personen zugegen, und ich war der einzige Gast.

Neben dem Schloßherrn am Kopf des langen Tisches saß sein Sohn, mit dem ich bislang nur wenige Worte gewechselt hatte. Er war fast nie zu sehen und spielte entweder draußen im Park oder hielt sich in Bereichen des Schlosses auf, deren Zutritt uns der Respekt verbot.

Übrigens befand sich Amadés Mutter, die Marquise de Courtils, nicht unter uns. Sie war bereits sechs Jahre zuvor nach der schweren Entbindung ihres kleinen Sohnes an einer Blutvergiftung gestorben.

Links von mir hatten der Gutsverwalter Platz genommen, ein Belgier namens Reypens, ein rechtschaffener, aber etwas verschlossener Mann, und ihm gegenüber die Comtesse de Montgeroult, die auf den Namen Minouche hörte. Sie war eine Verwandte der Familie, grau und blutleer, und kümmerte sich um alle Belange des jungen Marquis, die außerhalb seiner Erziehung lagen. Dafür gab es einen Privatlehrer, der mir nur selten über den Weg lief.

Die Verpflegungslage war in diesen Tagen noch nicht so dramatisch wie heute. Und da der Marquis über gute Verbindungen und ausgedehnte Jagdgründe verfügte, kamen Straßburger Gänsestopfleber und im Ofen gebratene Rebhühner und Fasanen auf den Tisch.

Es war ein herrliches Abendessen, begleitet von ausgezeichnetem Burgunderwein.

Im wesentlichen bestritten der Marquis und ich die Unterhaltung.

Reypens hatte zwar versucht, den Schloßherrn auf dieses und jenes drängende Problem im Wirtschaftsbereich aufmerksam zu machen, auch sei der Park mittlerweile in einem bedenklichen Zustand der Verwilderung, war aber barsch unterbrochen und davon in

Kenntnis gesetzt worden, daß niemand derlei Dinge am Weihnachtsabend zu besprechen wünsche.

Daraufhin hatte Reypens etwas indigniert geschwiegen, und wir waren in eine Unterhaltung über Voltaires Aufenthalt am Hofe Friedrichs II. geraten, der ich einige überraschende Neuigkeiten über den problematischen Charakter des Preußenkönigs verdanke. Wußten Sie, Wilhelm, daß Friedrich seinen Lieblingsdichter, der vor ihm die Flucht ergriffen hatte, in Frankfurt festsetzen und ihn durch Beauftragte über Wochen so schikanieren ließ, bis er ihnen schließlich einen Gedichtband seines königlichen Bewunderers wieder herausgab, den jener zu vernichten wünschte ...?«

Er lachte kurz auf und entzündete sich eine Zigarette.

»Nach dem Dessert«, fuhr er fort, »das aus Halbgefrorenem und kandierten Maronen bestand, gingen wir ins Kaminzimmer hinüber, wo Kaffee, Cognac und Zigarren gereicht wurden. Der Schnee, der draußen im nächtlichen Park und auf den Zweigen der hohen Tannen lag, schimmerte hell durch die Fensterscheiben. Die winterliche Stille und Behaglichkeit, die mich hier umgaben, erinnerten mich an unser verträumtes Leben im fernen Ostpreußen, an die endlosen Wintermonate und die große Einsamkeit der tiefverschneiten, lautlosen Wälder.

Die Zeit schien weggesperrt in die alte Standuhr neben der Tür und schlug und klopfte schüchtern an den Holzkasten ihres Gefängnisses. Vergeblich begehrte sie Einlaß in eine Welt, die sie nicht brauchte.

Ich fühlte mich wohl wie selten in meinem Leben.

Als ich meine Zigarre geraucht und den Stummel in den Kamin geworfen hatte, setzte ich mich an den Flügel und spielte unserem größten Feldherrn aller Zeiten zum Trotz eines der Lieder ohne Worte von Mendelssohn.

Da sah ich, wie die Augen des kleinen Amadé, der bis dahin schweigend in einem Sessel versunken vor sich hingeträumt hatte, zu leuchten begannen. Er richtete sich auf, und als ich mich nach einer abschließenden Mazurka von Chopin unter dem freundlichen Applaus der Anwesenden und des inzwischen hinzugekommenen Personals wieder auf meinen Platz begab, hielt es den Knaben nicht mehr. Er sprang auf, legte ein Kissen auf den Klavierschemel, stieg hinauf und begann ohne Umstände zu spielen.

Ich erstarrte. Zugegeben ein törichtes Wort. Aber wie sonst könnte ich das Erstaunen, ja Erschrecken beschreiben, welches mich ergriff, als ich die Töne vernahm, die dieses Kind dem Instrument mit einer Virtuosität entlockte, die selbst einen erfahrenen Pianisten beschämt hätte!?

Es war ein Stück, das ich nicht kannte und vermutlich in die späte Barockzeit gehörte.

Wir spendeten verblüfft Beifall, schüttelten dem Jungen die Hand und klopften ihm auf die Schulter. Ich fragte ihn, was er da gespielt und wo er es gelernt hätte.

Amadé lächelte die erwachsenen Menschen, die ihn umringten, unsicher an. Er schien zu schüchtern für eine Erklärung.

Sein Vater sagte, er habe es sicher irgendwo aufgeschnappt, oft säße er stundenlang allein an dem alten Cembalo im Spiegelsaal des oberen Stocks, und es sei manchmal schwer, ihn von dort ins Bett zu bringen, was die Comtesse mit einem Seufzer bestätigte.

Allerdings sei seine Urahne zu ihrer Zeit eine berühmte Cembalovirtuosin gewesen. Dieses Talent, das lange im Schoße der Familie verborgen geschlummert habe, habe sich bei Amadé wieder Bahn gebrochen. Stolz strich er seinem Sohn übers Haar, lächelte auf ihn herab und wünschte ihm eine gute Nacht.

Der Junge verabschiedete sich, und bevor er an der Hand der Comtesse das Zimmer verließ, drehte er sich noch einmal zu mir um.

›Vialli‹, sagte er leise, ›ich habe das neue Stück von Giambattista Vialli gespielt …‹«

DER MAJOR SCHWIEG. Das Feuer brannte tiefer, einige der Kerzen in den Lüstern waren erloschen, und eine drückende Dunkelheit legte sich auf uns.

Ich stand auf, um etwas Brennholz in den Kamin zu werfen.

Die Schatten im hinteren Teil des Saales waren undurchdringlich, das Gemälde, die Möbel und die Spiegel verschwunden. Mir schien, als habe der Saal keine Wände mehr und dehne sich ins Unendliche. Dort hinten, nur ein paar Meter entfernt, begann ein schwarzer Raum, der alles verschlucken würde, was ihm zu nahe kam.

Plötzlich leuchtete das Bild auf. Eine Sekunde nur. Wie eine Sternschnuppe. Sofort erlosch es wieder. Die Spieluhr auf der Kommode stotterte.

Ich lief ein paar Schritte in den Saal hinein und hatte auf einmal das Gefühl, daß sich der Boden unter meinen Füßen auflöste.

Es war nicht zu fassen, ich schwebte!

Ich war frei und unter und über mir war nichts mehr, was mich hielt.

Es wurde entsetzlich kalt, aber ich fror nicht, und eine wundersame Reise begann, die eine Ewigkeit zu dauern schien.

Ich flog in eine schwarze, lichtdurchfunkelte Unendlichkeit und sah Planeten mit ihren Monden, trieb an

Asteroiden und Sternennebel vorbei, ich durchmaß das Sonnensystem.

Als ich mich umdrehte, leuchtete die rote Glut des heruntergebrannten Feuers wie das Licht eines erlöschenden Sterns in der Tiefe des Weltalls.

Da schob sich eine Gestalt vor dieses Traumbild.

Der Major war aufgestanden.

»Wilhelm …?« fragte er vorsichtig ins Dunkel hinein.

Ich machte einen Schritt auf ihn zu.

»Oh, da sind Sie ja!« sagte er erleichtert und verlor das Gleichgewicht. Er stolperte, und fast wäre er gestürzt. Er hielt sich an der Lehne seines Sessels fest.

»Legen Sie etwas Holz nach«, sagte er, »man sieht gar nichts mehr! Ich hole uns noch einen Portwein, diese Flasche hier ist leer.«

Als wir wieder am Feuer saßen, prostete er mir zu und trank einen großen Schluck des süßen Weins.

Dann sammelte er sich und nahm den Faden seiner Geschichte wieder auf.

»ICH SASS MIT DEM MARQUIS noch lange im Kaminzimmer, und die Zeit verging bei angenehmen Gesprächen wie im Fluge. Gegen ein Uhr verabschiedete er sich, und auch ich war müde und ging zu Bett.

Als ich das Licht löschen wollte, hörte ich leise Musik.

Irgendwo im Schloß spielte jemand Cembalo. Es konnte nur Amadé sein.

Plötzlich war ich hellwach.

Ich fühlte, daß ich das Rätsel seiner unheimlichen Begabung würde lösen können. Ich mußte nur herausfinden, woher diese Musik kam und wer sie mitten in der Nacht spielte.

Also stand ich wieder auf, zog mich an und verließ mein Zimmer.

Im Trakt des Schlosses, den die Familie bewohnte, stieß ich auf eine Wendeltreppe, die in einem Turm steil nach oben führte.

Ich stieg zwei Stockwerke hinauf, lief in einen dunklen Flur hinein und stand plötzlich vor einem Saal, hinter dessen geschlossener Tür deutlich Musik erklang. Neben dem einen Cembalo glaubte ich ein weiteres zu hören und auch die Töne einer Geige.

Da brach die Musik ab.

Jemand sang.

Ich öffnete die Tür einen Spaltbreit und spähte in den Saal …«

DER MAJOR UNTERBRACH seine Erzählung. Er sah zu der Spieluhr. Doch sie lief regelmäßig, die Musik perlte dahin, und die kleine Porzellantänzerin drehte sich im Kreis.

Er schien beruhigt, trank einen Schluck Wein und wandte sich mir wieder zu.

»Es war der Spiegelsaal, derselbe, in dem wir jetzt sitzen, Wilhelm, aber ich glaubte, in das Innere einer Kirche zu blicken.

Unzählige Kerzen, deren Licht von den Spiegeln noch verstärkt wurde, waren auf dem Fußboden verteilt und brannten in allen Farben.

Inmitten dieses Meeres aus hüpfenden, tanzenden Flämmchen kniete eine Frau im weißen Gewand einer Nonne. Vor ihr stand eine Schale mit Weihrauch, der in Schwaden durch den Raum zog und einen beißenden Geruch verbreitete.

Sie sang einen lateinischen Psalm, und ihre Andacht galt offensichtlich dem Bild, das ihr gegenüber an der Wand hing.

Es zeigte eine herrschaftliche Dame in einem Rokokokostüm, die an einem Spinett saß, sie hielt ein Notenblatt in der Hand und schaute mit mildem Madonnenlächeln auf die Betende herab. Ihre rechte Hand ruhte noch auf der Tastatur des Instruments, als sei sie eben gerade beim Musizieren unterbrochen worden. Sie war von einer solchen Schönheit, daß sie fast den Rahmen sprengte und ich schon in dieser ersten Sekunde, als ich sie sah, meinen Verstand verlor.

Das Gemälde zeigte aber noch zwei weitere Personen. Einen Mann mit Zopfperücke und im Seidenwams, der eine Geige in der Hand hielt, und ein Kind, das blaß und schüchtern gegen das Spinett lehnte.

Es hatte eine verblüffende Ähnlichkeit mit Amadé.

Das alles wirkte so verwirrend echt, daß ich glaubte, Zeuge eines wirklichen Geschehens zu sein, das aus irgendeinem Grunde angehalten worden war.

Es war kein historisches Gemälde, auf das ich blickte, es war etwas anderes ...«

DER MAJOR HIELT INNE und überlegte, wie er in Worte fassen sollte, was er gesehen hatte.

»Da hing keine Leinwand in dem goldverzierten Bilderrahmen«, fuhr er fort, »es war vielmehr ein planes, durchsichtiges, mir unbekanntes Material, eine Art Haut, hinter der sich etwas bewegte oder stillstand und so den Eindruck einer zweidimensionalen, gemalten Fläche vermittelte.

Auf den symmetrisch angelegten Wegen des Schloßparks, der sich im Hintergrund des Arrangements ausbreitete, spazierten winzige Menschen zwischen Hecken und Blumenbeeten, und als ich genauer hinsah, bemerkte ich, daß sie sich tatsächlich bewegten.

Die drei Personen im Vordergrund jedoch verharrten leblos wie hinter geschliffenem Kristall.

Da unterbrach die betende Frau ihren Gesang, und als hätte sie gespürt, daß jemand in der Türe stand, drehte sie sich zu mir um.

Ihr Gesicht war zusammengepreßt, die Züge derb, häßlich und in die Breite gezogen, der Körper unter dem weißen Stoff massig, und obschon sie am Boden kniete, sah ich, daß sie sehr groß sein mußte.

Sie hielt eine Spieluhr in der Hand und starrte mich aus dunklen Augen erschrocken an.

Ihre Kapuze war abgestreift, und das dichte, drahtige Haar stand ihr wirr vom Kopf ab.

Sie schien außer sich und murmelte Worte, die ich nicht verstand.

Dann zog sie hektisch die Spieluhr auf, und kaum war der erste Ton erklungen, kam Bewegung in das Bild.

Mit anmutiger Drehung wandte sich die schöne Cembalistin wieder ihrem Instrument zu, das Kind setzte sich neben sie auf das Sitzbänkchen, und der bezopfte Geiger hob seine Violine unters Kinn. Mit der nun einsetzenden Musik überstrahlte ein grelles Licht das Tableau und verwischte die Figuren.

Als hätte jemand mit Macht alle Fenster aufgestoßen, fuhr ein Sturm in den Saal hinein und riß die Betende wie ein Spielzeug unter die Decke, wo sie einen Augenblick in ihrem Gewande panisch flatternd um sich schlug. Sie schrie in höchster Not nach der Mutter Gottes. Dann schleuderte sie der Luftstrom mit ungeheurer Gewalt in das Bild hinein und löschte alle Kerzen aus.

Mit einem Schlag war es stockdunkel und totenstill ...

Nichts.

Schwarz.

Kein Laut.

Nur das Rauschen des Blutes im Ohr ...

Dann plötzlich leise Schritte.

Irgendwer war im Dunkel losgelaufen und kam langsam näher.

Mir schlug das Herz bis zum Hals, und wie in einem Albtraum war ich unfähig, mich zu bewegen.

Auf einmal schob sich eine winzige, kalte Hand in die meine und zog mich sanft von der Türe fort, an der ich noch immer stand, den finsteren Flur entlang und hinaus ins Treppenhaus.

In dem spärlichen Licht, das weiß Gott woher kam, erkannte ich Amadé.

Er ließ meine Hand los und sah mich besorgt an.

›Monsieur, das war Séraphine‹, sagte er, ›jetzt ist sie bestimmt glücklich, Marie-Élisabeth hat sie zu sich genommen ... Marie-Élisabeth sagt, Sie sind wunderschön, Monsieur, und sie wünscht, Sie kennenzulernen, aber erst, wenn Sie bereit dazu sind. Sie müssen auf die andere Seite und können nicht mehr zurück.

Das soll ich Ihnen sagen. Spielen Sie morgen mit mir Klavier?‹

Ich nickte, er strahlte mich an und verschwand, indem er eilig die Treppenstufen hinabsprang.

Von diesem Tag an traf ich ihn fast täglich im Spiegelsaal, meist am Nachmittag, wenn meine Arbeit erledigt war.

Ich hatte den Flügel zum Mißvergnügen des Marquis aus dem Kaminzimmer in den Oberstock tragen lassen und brachte Amadé nun neuere Stücke bei, Ravel und Prokofjew, aber auch Klaviermusik von Schumann und Grieg, die Sonaten von Beethoven, von dem er nie gehört hatte. Er war dankbar und gelehrig, denn sein Stil, ausschließlich an der höfischen Musik des frühen achtzehnten Jahrhunderts gebildet, war verspielt und virtuos, entbehrte aber ein wenig der Tiefe und Zurückhaltung, wie sie in der klassischen und mehr noch der romantischen Musik wesentlich wurde.

Gegen sieben Uhr holte ihn Minouche zum Abendessen.

Ich blieb dann allein zurück und hielt stumme Zwiesprache mit der Marquise.

Um neun wurde Amadé zu Bett gebracht, und kaum war die Comtesse gegangen, entwischte er und tauchte kurz darauf wieder im Spiegelsaal auf. Dann verabschiedete er sich von mir zur Nacht, setzte die Spieluhr in Gang und verschwand in der Welt seiner schönen Urahne.

Ich liebte diese Frau auf dem Bild zum Verzweifeln, die Tage und Nächte waren angefüllt mit Gedanken an sie, ich träumte davon, die Grenze zu durchbrechen, die mich in ihre Arme führen würde, aber etwas hielt mich zurück, das stärker war als mein Verlangen.

In jenen Tagen begann sich unser Kriegsglück zu wenden, die 6. Armee ging in Stalingrad unter, und wir arbeiteten verzweifelt an einer politischen Lösung, um die totale Katastrophe, die sich bereits deutlich abzeichnete, zu verhindern.

Alle Anstrengungen haben nichts genutzt, Gott hat uns fallengelassen, wenn er jemals auf unserer Seite war.

Und gestern in der Nacht zerplatzte die letzte Hoffnung, die wir noch hatten ...«

DER MAJOR ERHOB SICH.

Die Spieluhr hatte zu schleppen begonnen und drohte stehenzubleiben.

Er zog sie auf, nahm sie dann vorsichtig in die Hand und stellte sie auf das Tischchen zwischen unseren Sesseln.

Die kleine Tänzerin drehte sich auf ihrer Scheibe, und als ich sie im Lichte des Kaminfeuers näher betrachtete, sah ich plötzlich zu meinem Schrecken, daß sie ein lebendiges Wesen war, eine winzig kleine Frau, nicht aus Porzellan, sondern aus Fleisch und Blut – Arabella, die schöne Tänzerin aus Samarkand, Geliebte Giambattista Viallis und Opfer der grausamen Rache der Marquise von Montrague.

Ihre Bewegungen hatten nichts Mechanisches mehr an sich; sie waren der anhaltende, gleichermaßen verzweifelte wie vergebliche Versuch, von der Stelle zu kommen, sich vom Boden loszureißen, an den sie befestigt war.

Fassungslos hatte ich dieser Erscheinung zugesehen, und so unheimlich und grausam ihr Anblick auch war, ich konnte meine Augen nicht abwenden. Es schnürte mir die Kehle zu, ja zerriß mir fast das Herz, denn dieses kleine Wesen war das traurigste, was ich je gesehen hatte.

Wie gerne hätte ich geholfen, aber ich war unfähig, mich zu rühren!

So wahnwitzig mir Jean-Lucs Berichte auch erschienen waren, im Detail bestätigten sie sich immer wieder aufs neue.

Der Major bemerkte meine Verwirrung und sah mich fragend an.

Vielleicht kannte er Arabellas traurige Geschichte, vielleicht aber auch nicht, und ich überlegte, ob ich ihm erzählen sollte, was ihr die Marquise angetan hatte und daß Schönheit nicht immer auf einen gefälligen Charakter schließen lasse.

Als hätte er meine Gedanken erraten, sagte er plötzlich: »Sie ist wie eine Spinne. Sie sitzt in ihrem Netz und lauert auf uns. Sie wartet Jahrhunderte, bis wir uns darin verfangen. Ihre Augen verheißen das Himmelreich, ihre Umarmung ist die größte Lust, und ihr Biß ist tödlich. Ihre Liebe wie ihr Haß ...«

Da stand dieser große, erschütterte Mann neben mir in geöffneter Uniformjacke, und der Lehnstuhl vorm Feuer am Kamin warf einen tiefen Schatten auf ihn.

»Es ist Zeit, mein lieber Wilhelm«, sagte er dann leise und beugte sich ins Licht hinein.

Er reichte mir die Hand.

In seinen Augen lagen Unruhe und Angst, aber auch gespannte Erwartung und die Freude, daß er nun in ein neues Leben eintrat, das ganz Musik war und sich im Klang einer fernen Zeit auflöste.

Und wenn ihn die Marquise endlich in ihre Arme nahm und in der Wirklichkeit auslöschte, dort drüben würde er weiterleben, befreit und ohne Widersprüche, im stillen Land hinter den Bildern.

PLÖTZLICH BLIEB DIE SPIELUHR stehen, und als hätte jemand die Walze in ihrem Inneren ausgewechselt und erneut aufgezogen, erklang eine andere Melodie, heller, strahlender, in der doppelten Geschwindigkeit.

Ich vernahm ein Cembalo, dann ein weiteres, eine Geige gesellte sich dazu, und die Klänge dieses Trios vermischten sich mit denen der kleinen Spieluhr und verstärkten einander, bis ich auf einmal das Gefühl hatte, als spiele ein ganzes Orchester eine euphorische Sinfonietta, die den dunklen Raum wie Mondenschein und Sternenstaub durchstrahlte.

Ich sprang auf und sah mich erstaunt um. Woher kam diese Musik? Da leuchtete das Gemälde an der entfernten Wand auf, und als ich mich wieder dem Major zuwandte, war er verschwunden.

Im Bild aber regte sich etwas, und ich meinte, eine dunkle Figur zu erkennen, die sich auf die sitzende Marquise zubewegte …

Dann erlosch das Licht hinter der Leinwand, und die Musik brach ab.

Ich stand im Dunkeln.

»Monsieur«, flüsterte es plötzlich neben mir, »kommen Sie, ich bringe Sie nach unten. Es ist Zeit fürs Abendessen. Schnell, bevor uns Minouche sucht!«

Amadé hatte meine Hand ergriffen, und wir öffneten die Türe zum Korridor.

Zu meinem Erstaunen war es draußen noch hell, und goldenes Abendlicht fiel durch die hohen, verstaubten Fensterscheiben.

DER MARQUIS ERWARTETE uns im Speisesaal. Knapp wies er seinen Sohn zurecht, er solle sich in Zukunft mehr in Pünktlichkeit üben, tat es aber auf Grund meiner Anwesenheit in angenehm mildem Ton, während die Comtesse neben ihm mit herabgezogenen Mundwinkeln auf ihren dampfenden Suppenteller starrte.

Wir setzten uns, und der Marquis gab seiner großen Sorge darüber Ausdruck, daß nun schwere Tage über Montrague hereinbrächen, mit Durchsuchungen, peinlichen Befragungen, Verhaftungen gar; Polizei und SS fahndeten in Paris nach den Verschwörern und ihren Helfershelfern und dehnten die Suche auf das ganze Umland aus.

Dem Major hätte er geraten, sich in einem geheimen Raum im Dachgeschoß zu verstecken, der schon vor einhundertfünfzig Jahren Verfolgten der Revolution Schutz geboten hatte.

Ich betrachtete Amadé. Er saß da, löffelte seine Suppe und schwieg. Er wußte so gut wie ich, daß sich Major von Rotha jeglicher Verfolgung für immer entzogen hatte.

Sein Kopf glühte, und ich sah ihm an, daß er kaum erwarten konnte, endlich ins Bett gebracht zu werden, um sich dann so schnell wie möglich in den Spiegelsaal davonzuschleichen.

Noch heute nacht würde er Marie-Élisabeth, Giambattista und den Major wiedersehen und mit ihnen musizieren.

Ich stellte mir vor, wie Friedrich von Rotha neben der Frau saß, die er seit Jahren begehrte, und mit ihr vierhändig Cembalo spielte und wie sie engumschlungen durch phantastische Räume gingen, die niemand von uns je sehen würde.

Merkwürdig war nur, daß der Marquis offenbar nicht die geringste Ahnung vom geheimen Leben seines Sohnes hatte, wie auch das Mysterium des Gemäldes im

Spiegelsaal, das ein Tor in eine Welt darstellte, die hinter unserer existierte und anderen physikalischen Gesetzen gehorchte, ihm unbekannt schien.

Solche magischen Türen oder Einstiegsluken gab es wohl überall, an den sonderbarsten Orten, dort, wo man sie am wenigsten vermutete.

Bei mir und Jean-Luc war es die kleine Brücke hinter Aumont gewesen, die uns nach Montrague geführt hatte, das wiederum den Zugang in andere, entferntere Schichten bot.

So konnte man von Zeit zu Zeit, von Welt zu Welt springen und würde nie an ein Ende kommen.

Es war verrückt! Als ich daran dachte, ob es mir wohl gelingen würde, an den Ort zurückzukehren, wo ich keine zwölf Stunden zuvor aufgebrochen war, erfaßte mich leises Entsetzen.

Was war, wenn ich mich bereits hoffnungslos verloren hatte, wohin würde die Reise gehen ...?

Der Marquis unterbrach meine Gedanken.

»Herr Doktor Wilhelm«, sagte er, »ich habe Ihnen für heute nacht ein Gästezimmer herrichten lassen. Sie werden morgen früh um sechs Uhr abgeholt und nach Orléans gefahren. Dort übernimmt Sie ein Mann, dessen Name mir nicht bekannt ist, er wird Sie über die Demarkationslinie nach Süden bringen.«

Ich dankte ihm und fragte, ob ich die Nacht nicht in einem anderen Zimmer verbringen könnte, am liebsten dort, wo früher die Mägde und Séraphine geschlafen hätten …

Ich weiß nicht, warum, aber ich hatte plötzlich das deutliche Gefühl, daß diese Kammer der Schlüssel war, der mir die Rückkehr in meine Wirklichkeit ermöglichte, einer Wirklichkeit, von der ich nun allerdings wußte, daß es sie gar nicht gab.

Das Zimmer sei zwar noch vorhanden, erwiderte der Marquis erstaunt, nur hätte es seit vielen Jahren niemand mehr benutzt, aber wenn ich darauf bestünde, würde es selbstverständlich für mich vorbereitet.

So kam es, daß ich ziemlich genau dreizehn Jahre vor meiner Geburt, in der Nacht vom 21. auf den 22. Juli 1944, in einem Bett einschlief, das dreißig Jahre zuvor die Schlafstätte der Séraphine de Senlis gewesen war.

DIE EINDRÜCKE DIESES TAGES waren tief und verstörend gewesen, die Welt stand kopf, Tatsachen hatten sich als Trugbilder erwiesen, physikalische Gesetze waren ausgehebelt, und ich steckte an einem Punkt, von dem ich nicht wußte, wie es weiterging.

Ich war erschöpft und schlief tief und traumlos. Stunden oder nur Minuten, ich weiß es nicht.

Ich fuhr hoch.

Es war nichts zu hören. Aber etwas im Raum hatte sich verändert.

Ich drückte auf den Schalter der Nachttischlampe.

Sie funktionierte nicht.

Es waren auch keine Streichhölzer da.

Aufrecht saß ich im Bett und starrte erschrocken in die Dunkelheit.

Was war das? Am Ende des Raumes zeigte sich ein Licht, ein heller, glühender Fleck, aber so weit entfernt, daß er die Dimension des Zimmers vollkommen zu sprengen schien.

Dann kam ein zweites dazu und noch eins, bis ich wenigstens ein Dutzend leuchtender Punkte sah, die sich in der Ferne auf und ab bewegten und nach rechts und links und wieder zurück liefen.

Ich stand auf und zog mich im Dunkeln an, wobei ich dieses irrlichternde Schauspiel nicht aus den Augen ließ.

Kaum hatte ich mich drei Schritte vom Bett entfernt, bemerkte ich, daß ich im Freien stand.

Das Dienstbotenzimmer hatte sich verflüchtigt, das Schloß war verschwunden, und ich spürte trockene, knirschende Walderde unter meinen Füßen.

Um mich herum standen hohe Bäume, durch deren

belaubte Wipfel helles Mondlicht fiel, so daß ich mich ein wenig orientieren konnte.

Die leuchtenden Punkte kamen langsam näher, zogen sich bald ins Ovale und wurden immer länger, bis ich schließlich die Umrisse von Menschen erkannte, die von innen glühten wie Lampen.

Es dauerte nicht lange, und ich hatte eine Lichtung erreicht, in deren Mitte ein mächtiger Laubbaum stand.

Hier nun verweilte eine Gesellschaft von Männern und Frauen, die in kleinen Gruppen zusammenstanden, sich miteinander unterhielten oder entspannt am Boden lagerten.

Sie waren in prächtige Kleider und Gewänder gehüllt, trugen Bundhosen und feingearbeitete Röcke und Wämse, Gehstöcke, turmhohe Frisuren und Zopfperücken, einige glühten am ganzen Leibe, als wären sie kleine Sonnen, andere standen schwarz wie Scherenschnitte im mondbeschienenen Rund der Lichtung.

Märchenhaft schimmerte ein kleiner See durch die schwarzen Silhouetten der Bäume, an dessen Ufer nächtliche Spaziergänger flanierten. Sie schwebten über der Erde gleich Lampions, die an unsichtbaren Schnüren hingen.

Unter dem Baum der Lichtung aber saßen drei Musikanten, die zum Tanz aufspielten; ein paar der anwesenden Geschöpfe bewegten sich dazu in den gemessenen Schritten einer Courante, hielten den geschminkten Kopf und das Kinn hoch, drückten die Brust heraus und berührten einander mit spitzen Fingern.

Was ich da sah, war die nächtliche Spiegelung eines heiteren, sommerlichen Festes, ein verkehrtes déjeuner sur l'herbe geisterhafter Geschöpfe, das die beunruhigende Künstlichkeit eines alten, gläsernen Photonegativs besaß.

War ich am Ende gar in den Gobelin hineingeraten, der im Korridor vor dem Spiegelsaal hing, oder in eines der monochromen Bilder?

PLÖTZLICH HÖRTE ICH ein Flüstern und Wispern hinter mir und fuhr herum.

Zuerst sah ich nichts, so sehr war ich geblendet.

Ich schlug die Hände vors Gesicht und stolperte rückwärts.

Als ich die Augen wieder öffnete, erblickte ich eine Schale, in der große, runde Früchte lagen, die ein gleißendes Licht verbreiteten.

Die Frau, die sie in ihren Händen hielt, war schöner als ein Engel und strahlender als die Sonne.

Und wie das glühende Zentralgestirn der Welt, in die ich eingeschlossen war, stand sie vor mir und verteilte die leuchtenden Früchte an Wesen, die von allen Seiten aus der Dunkelheit herandrängten, sie umringten und gierig danach griffen.

Kaum hatten sie hineingebissen, fingen sie selbst am ganzen Körper an zu glühen, und mit dem Ausdruck des tiefsten Glücks traten sie zurück und machten anderen Platz.

Die Frau aber war keine andere als die Marquise von Montrague.

Zum ersten Mal sah ich sie leibhaftig, sie trug dasselbe prunkvolle Kostüm, das ich schon im Gemälde an ihr gesehen hatte.

Sie trat auf mich zu und hielt mir einen Granatapfel entgegen. Er war aufgebrochen.

Als ich danach griff, ergoß sich das Innere der Frucht wie Lava über meine Hand.

Ich zuckte zurück aus Angst, ich könnte mich verbrennen, aber sie war überraschend kühl und trocken, und mich überkam ein Gefühl himmlischer Leichtigkeit.

Da sah ich, wie sich aus dem Unterholz des Waldrandes eine Gestalt löste und ins Mondlicht trat. Sie winkte mir zu und ruderte mit den Armen in der Luft wie jemand, der anzeigen will, daß Gefahr drohe.

Ich erschrak, denn ich glaubte Jean-Luc erkannt zu haben.

Ich hätte schwören können, daß er es war, aber kaum hatte die Marquise einen weiteren Schritt auf mich zu getan, war der Spuk wieder verschwunden.

»Essen Sie. Essen Sie nur, es ist gut.«

Hatte sie wirklich etwas gesagt, oder vernahm ich die süße Stimme des Nachtwinds, der leise durch die Blätter der Bäume strich?

Es war die zärtlichste Aufforderung, aber sie duldete keinen Widerspruch, und so führte ich die Frucht gehorsam an den Mund.

Da packte mich plötzlich jemand von hinten und riß mich mit solcher Gewalt zurück, daß ich zu Boden stürzte und der Granatapfel wie ein leuchtender Ball ins Finstere rollte.

Über mich hatte sich der schwer atmende Leib einer massigen Frau gebeugt, die mich einen Augenblick anstarrte.

Es war Séraphine.

»Monsieur Wilhelm, was machen Sie hier?« stieß sie hervor. »Das dürfen Sie nicht! Sie müssen fort, schnell, schnell, kommen Sie!!«

Sie packte mich am Handgelenk, zog mich zu sich hinauf und mit großer Kraft in den Wald hinein. Sie zerrte mich hinter sich her, und wir rannten, als wäre uns der Leibhaftige selbst auf den Fersen.

Mein Herz raste wie wild, die Zweige schlugen mir ins Gesicht, und mehrere Male wäre ich fast gestürzt.

»Monsieur, schneller, um Gottes willen, laufen Sie, so schnell Sie können!« schrie sie panisch und außer Atem. »Sie kommen schon!«

Ich sah mich um, und nun bekam auch ich es mit der Angst zu tun.

Der Wald hinter uns schien in Aufruhr. Als würde ein Feuerwerk im Unterholz abgebrannt, blitzte und funkelte es durcheinander, Lichter sprühten und schossen hin und her, verwandelten sich in wirbelnde Feuergarben, die funkenstiebend in Büsche und Sträucher fuhren und sie prasselnd in Brand setzten.

Am bedrohlichsten aber waren die Gestalten, die uns flammenlodernd und unter schrillem Geschrei verfolgten. Sie sprangen zwischen den Bäumen hindurch und hüpften wie Feuerbälle über den Waldboden, der sich unter ihren Füßen in ein Meer aus züngelnden Flämmchen verwandelte.

Mit jedem Sprung kamen sie näher, und plötzlich zischte eine von ihnen wie eine Leuchtkugel über unsere Köpfe hinweg und schlug heulend in einen Baum, dessen Äste und Zweige barsten und durch die Luft flogen, während der Stamm Feuer fing und krachend vor uns auf den Waldweg stürzte.

Wir wichen aus, liefen nach links und hasteten atemlos vorwärts, bis der Wald plötzlich ein Ende fand und wir auf einer Wiese zum Stehen kamen, die von einigen wenigen Bäumen bestanden war.

Da sah ich nicht weit vor mir die schwarzen Mauern von Montrague aufragen, dessen Türme und Giebel im Mondlicht schimmerten.

DAS GESCHREI HINTER UNS wurde lauter, und wir rannten weiter, durch den nächtlichen Park auf das Schloß zu.

»Dort hinten, Monsieur!« rief Séraphine plötzlich und zeigte auf etwas in der Ferne. »Sehen Sie das Tor! Schnell, laufen Sie, retten Sie sich, Monsieur Wilhelm, retten Sie sich!!«

Die letzten Worte hatte sie in höchster Verzweiflung geschrieen, und sie gab mir einen Stoß, der mich nach vorne warf, dann sank sie zu Boden und bedeckte ihr Gesicht mit den Händen.

Ich weiß nicht mehr, wie es mir gelang, das Eingangstor des Schlosses zu erreichen, denn aus der Entfernung sah ich, daß sich die beiden Flügel langsam schlossen und ich es niemals schaffen würde, rechtzeitig hindurchzuschlüpfen.

Ein kurzer Blick zurück zeigte mir, daß die feurigen

Kreaturen Séraphine erreicht hatten, sie brannte am ganzen Leibe und hatte die Arme hoch in die Luft gerissen.

Da setzte ich alles auf eine Karte und rannte um mein Leben, erreichte das große eiserne Tor und warf mich mit letzter Kraft durch den kleinen, noch offenen Spalt. Dann fielen die beiden Flügel hinter mir donnernd ins Schloß.

Der Boden, auf den ich stürzte, gab nach, und ich versank in einem schwarzen Raum, der mich sanft auffing.

Bald trieb ich traumschwer und ruhig dahin, sah helle Punkte in weiter Ferne, funkelnden Sternen gleich, bis auch dieser letzte Rest meines Bewußtseins erlosch.

ICH ERWACHTE, WEIL ICH keine Luft mehr bekam. Ich lag auf dem Bauch, mit dem Gesicht nach unten, und hatte den Mund voller Schnee.

Hustend sprang ich auf, schlug mir mehrmals heftig auf die Brust, beugte mich nach vorn und spuckte alles aus, was in die Luftröhre hineingerutscht war.

Dann schlug ich mir den Schnee von Hose und Jacke.

Ich fror.

Um mich herum war alles weiß, nichts war zu erkennen, und ich dachte für eine Sekunde, ich sei erblindet.

Als ich mich umwandte, sah ich in der Weite einer leeren, verschneiten Landschaft das Gerippe eines Baumes, aus dessen kahler Krone sich eine Krähe erhob und krächzend in den bleiernen Winterhimmel flog.

Es war wie Musik in meinen Ohren, denn plötzlich wurde mir bewußt, daß ich lebte.

Ich hatte das Gefühl, als sei ich von einer weiten Reise heimgekehrt.

Nur, was sollte ich jetzt tun? Wohin sollte ich gehen?

Ich wußte weder, wo ich war, noch, um welche Tageszeit es sich handelte. Es hätte Morgen oder auch später Nachmittag sein können.

Ich konnte nicht einmal mit Gewißheit sagen, ob ich mich im zwanzigsten oder einundzwanzigsten Jahrhundert befand ...

Ich stand auf einer verschneiten Straße, soviel schien sicher, rechts und links ging es jeweils sanft eine Böschung hinunter.

Aber niemand hatte eine Spur auf ihr hinterlassen, die Schneedecke lag unberührt und endlos vor mir.

Ich lief in die Richtung, in der die Krähe davongeflogen war.

HINTER EINEM HÜGEL machte die Straße eine kleine Biegung, und plötzlich sah ich in einiger Entfernung einen schwarzen Fleck. Es dauerte nicht lange, und ich erkannte, daß es ein Auto war.

Als ich es erreicht hatte, konnte ich mein Glück kaum fassen.

Da stand das Fahrzeug, das ich am Gare St. Lazare gemietet hatte, zwar mit Schnee bedeckt, aber offensichtlich intakt und unberührt.

In meiner Jackentasche fand sich der Autoschlüssel.

Auch mein Portemonnaie und der deutsche Reisepaß waren noch vorhanden.

Es war verrückt, aber mir schien, als wäre gar nicht viel passiert, als hätte ich mich in dieser schweigenden Schneelandschaft verlaufen, wäre gestürzt, hätte mein Bewußtsein für kurze Zeit verloren, geträumt und wäre wieder aufgewacht, bevor ich erfror.

Aber da waren diese starken Bilder, die mir nicht aus dem Kopf gingen, viel kräftiger als die Schimären und undeutlichen Gefühle, die einem sonst nach einer durchträumten Nacht blieben: die dunklen Korridore des Schlosses, die farbenprächtigen Gobelins, der Major und sein blasser Schüler, die Marquise an ihrem Instrument und Séraphine, die wie eine Heilige auf dem Scheiterhaufen lichterloh brannte …

Ich befreite das Fahrzeug vom Schnee und setzte mich hinein.

Nach einigen vergeblichen Versuchen, den Motor in Gang zu setzen, sprang er an, ich wendete den Wagen und fuhr in die Richtung, aus der ich gekommen war, davon.

Bald kam ich nach Apremont und Aumont, fuhr weiter nach Senlis, und noch ehe die Nacht hereinbrach, hatte ich Paris erreicht.

IM HOTEL ZEIGTE MAN SICH besorgt, als ich eintraf. Ich hätte doch gestern schon abreisen wollen, aber da ich nicht mehr aufgetaucht sei, habe man das Gepäck auf dem Zimmer gelassen und meinen Aufenthalt um einen Tag verlängert, in der Hoffnung, daß ich mich melden würde.

Aber nun sei ja alles in Ordnung und auch nicht weiter tragisch, denn zu dieser Jahreszeit gäbe es immer freie Zimmer.

Nachdem ich einen neuen Flug für den nächsten Tag gebucht hatte, packte ich meine Sachen zusammen. Dabei fiel mir Jean-Lucs Brief in die Hände.

Ich betrachtete ihn lange, wendete ihn hin und her und fragte mich, wie ich nur hatte darauf kommen können, einem unbeschriebenen Blatt Papier eine Botschaft zu entnehmen, die Aufforderung nämlich, eine Reise anzutreten, die mich am Ende in eine andere Welt geführt hatte, in ein düsteres Schloß, von dem ich nun nicht mehr sagen konnte, ob es real gewesen oder nur einem Traum entsprungen war.

Ich zog das Blatt aus dem Kuvert. Ich wußte, daß nichts darauf stand, aber ich wollte es noch einmal ansehen, bevor ich es wegwarf.

Als ich es auseinanderfaltete, traute ich meinen Augen nicht. Das Papier war von oben bis unten beschrieben mit der gehetzten, unordentlichen Handschrift eines Menschen, der sich in großer Eile befunden hatte.

Ich setzte mich aufs Bett und las mit klopfendem Herzen.

»LIEBER WILHELM,

verzeih, daß ich in jener Nacht einfach fortging und Dir das Ende meiner Geschichte nicht erzählte. Du warst kurz in Dein Hotelzimmer gegangen, ich saß allein auf der nächtlichen Wiese und wurde von einem solch namenlosen Schmerz ergriffen, daß ich es vorzog zu verschwinden.

Ich habe Dir damals nicht sagen können, was hinter dem Bild geschah. Es hätte mir das Herz gebrochen.

Natürlich wußte ich, daß ich verloren war, als ich die andere Seite erreichte und am Ende eines prächtigen, sonnendurchfluteten Zimmers diese Frau erblickte.

Wie eine Sylphide saß sie an ihrem Spinett und spielte eine Melodie, so betörend sanft und zerbrechlich, als hätte ein Traum begonnen, sich selbst zu träumen. Nach einer Weile hielt sie inne und sah mich an.

›Da sind Sie ja!‹ sagte sie. Sie schien auf mich gewartet zu haben.

›Treten Sie ruhig näher ... Sie sind schön, Monsieur!‹

Dann stand sie auf, neigte ihren Kopf, reichte mir die Hand – diese zarte, weiße, unvergleichliche Hand! – und führte mich hinaus in den großen Hof des Schlosses, der im goldenen Licht eines unwirklichen Tages dalag wie ein Traumbild aus Steinen, bemoosten Mauern, Terrassen und verwitterten Balustraden.

In seiner Mitte stand ein Brunnen aus rotem Marmor. Die sich nach oben hin verjüngenden Schalen, über die schäumend das Wasser rauschte, bildeten riesige Meeresmuscheln nach.

Eine kleine Kapelle stand etwas oberhalb unter hohen Eichenbäumen.

Wir liefen um das Schloß herum, und die Menschen, die in den blühenden Gärten arbeiteten, winkten uns fröhlich zu und lachten.

Auf der rückwärtigen Seite des Hauptgebäudes lag ein verwilderter Park. Rechts und links der in allen Farben leuchtenden Hecken und Rabatten hatte man je einen Erdwall aufgehäuft, auf dem Kastanienbäume wuchsen, die einen schmalen Gehweg einfaßten. Er lief weit nach hinten und verlor sich in wogenden Getreidefeldern, über die der Wind strich und die sich bis zum Horizont erstreckten, wo sie von einer sanften Hügelkette abgeschlossen wurden.

Wir spazierten durch Wellen von Schatten und Licht die Kastanienallee entlang, auf einem weichen Teppich aus Gras und welken Blättern, und es schien, als tanzten wir und schritten in einer Art Pas de deux dahin.

Ich sah sie unverwandt an, hin und wieder wandte sie mir ihr schönes Gesicht zu, und ich habe es mit den Augen verschlungen, bis sie sich mit Tränen füllten.

Da blieb sie plötzlich stehen, nahm meinen Kopf in ihre Hände und küßte mich auf den Mund.

Ich starb, wollte sie umarmen und festhalten, doch mit einer raschen Bewegung entzog sie sich, lachte hell auf, lief davon, den Wall hinunter, wobei ihr kostbares Gewand und das lange, durchsichtige Halstuch in der Luft flatterten wie die Flügel eines Schmetterlings, in den sie sich auf einmal verwandelt hatte, und ergriffen von einer frischen Brise flog sie empor, höher und immer höher, bis hinauf zu den Wolken, die still und majestätisch durchs tiefe Blau des Himmels segelten ...

Da wurde es mit einem Schlage dunkel, so als würde das Licht der Sonne ausgelöscht.

Nichts rührte sich mehr, und ich hatte das Gefühl, ich sei in eines dieser seltsamen Bilder geraten, die ich im Schloß gesehen hatte.

Aber da war keine Stadt, nicht einmal ein Leben im Zwielicht, keine menschliche Behausung, niemand, nichts, es war kalt, und ich starrte in einen nächtlichen Wald, in dem jede Bewegung erstorben war.

Nicht weit von mir erkannte ich die Umrisse meines Fahrzeugs.

Ich stieg ein und fuhr davon.

DEN REST DER GESCHICHTE kennst Du. – Ich habe es inzwischen aufgegeben, weiter nach ihr zu suchen, und darum schicke ich Dir diesen letzten Gruß.

Ich danke Dir, daß Du mir zugehört hast.

Lebe wohl und behalte mich in Erinnerung als einen, der die Schönheit suchte, einen flüchtigen Blick ins Paradies tat und dann zur Hölle fuhr.

Jean-Luc«

WARUM ICH MICH am nächsten Morgen auf dem Weg zum Flughafen verfuhr, war mir ein Rätsel.

Ich hatte in der Nacht miserabel geschlafen, immer wieder war ich aus schweren Träumen aufgeschreckt, so daß ich mich am nächsten Morgen ziemlich erschlagen ans Steuer setzte.

Ich war müde und unkonzentriert, und so war es allem Anschein nach ein Zufall, daß ich in der Rue de Grenelle landete und an einem großen, alten Gebäude eine vom obersten Stockwerk bis zum Trottoir herabhängende Fahne erblickte, auf der in vertikalen Lettern der Name »Séraphine« zu lesen war.

Ob es aber wirklich Zufall war, daß ich ausgerechnet durch diese Straße fuhr, weiß ich nicht zu sagen. Doch scheint mir, daß wir allzuleicht Beute eines raffinierten Trugspiels werden, indem nämlich der Zufall nichts anderes ist als die Bestimmung, die im falschen Kleide auftritt.

Es war das Musée Maillol, das eine umfangreiche Werkschau der Séraphine Louis aus Senlis präsentierte.

Ich parkte den Wagen und ging hinein.

WIE WILHELM UHDE, der nach seiner Rückkehr aus Deutschland zufällig vor den Baum des Paradieses trat (in einer Ausstellung im Rathaus von Senlis), so stand auch ich jetzt, achtzig Jahre später, vor dem riesigen Bild, das diesen Namen trug.

Ich stand da, stumm und benommen von seiner ungeheuren, magischen Wirkung.

Zwischen den buntgefiederten Blättern und Tiermäulern, den exotischen Früchten und Blumen sahen mich umwimperte Augen an, und plötzlich begann sich alles zu drehen, und im gelben, smaragdgrünen und herbstroten Wirbel entfesselter Farben öffnete sich der türkisblaue Grund, und ich trat in einen dämmrigen Laubengang, an dessen entferntem Ende, weit, eine Gestalt auftauchte, die durch Streifen aus Licht und Schatten auf mich zulief.

Sie hielt den Kopf gesenkt, kam langsam näher, und auf einmal stand sie dicht vor mir und schlug die Augen auf.

Ich sah in mein eigenes Gesicht wie in einen Spiegel.

ERSCHRECKT LIEF ICH WEITER, an mir vorbei, blickte mir nach in die Richtung, aus der ich gekommen war, sah, wie ich wieder den Museumsraum betrat, ihn durchquerte und durch die hohe Eingangstüre nach draußen verschwand.

Ich aber lief weiter bis zum Ende des Tunnels aus Blättern und Blüten, trat hinaus ins Freie und stand unvermittelt am Rande eines Gartens, wie ich noch nie einen gesehen hatte.

Schmetterlinge ohne Zahl tanzten und gaukelten um Lavendelbüsche und Rosenhecken.

Fremdartige Vögel, in allen Farben schillernd, flogen pfeilschnell über hübsch verzierte Rasenflächen, flatterten in schattige Grotten, badeten in den Wasserschalen marmorner Brunnen oder saßen auf den gebogenen Dächern zierlicher Pagoden.

Bunt herausgeputzte Menschen, die auf symmetrisch angelegten Kieswegen zwischen Blumenbeeten, Wasserspielen, Hecken und blühenden Rabatten spazierten, lachten und winkten mir fröhlich zu.

Inmitten all dieser Pracht erhob sich das Schloß Montrague und strahlte im Lichte eines triumphalen Sommertags.

ULRICH TUKUR, 1957 in Viernheim geboren, ist einer der bekanntesten deutschen Schauspieler. Für seine Arbeit erhielt er zahlreiche Preise, zuletzt wurde ihm 2013 der Jacob-Grimm-Preis Deutsche Sprache verliehen. 2005 erschien sein Erzählungsband *Die Seerose im Speisesaal*. Ulrich Tukur lebt mit seiner Frau, der Photographin Katharina John, in Venedig.

MEIN BESONDERER DANK gilt Krista Maria Schädlich, Martin Provost, Sabine Wimmer, Gregor Scholl, Bärbel Fooken und Steve Viezens.

MIX
Papier aus verantwortungsvollen Quellen
FSC® C083411
FSC
www.fsc.org

ISBN 978-3-550-08030-2

5. Auflage 2013
Agentur: Montasser Media

Umschlagmotiv: Steve Viezens »Schwarzwald 1«,
galerieKleindienst
Illustration »Gehängter« im Innenteil:
Bärbel Fooken, Hamburg
Autorenfoto: Katharina John – www.katharinajohn.com
Umschlag- und Innengestaltung: Sabine Wimmer, Berlin
Gesetzt aus der Centaur und der Aphasia
Satz: LVD GmbH, Berlin
Druck und Bindearbeiten: CPI – Clausen & Bosse, Leck
Printed in Germany

Ulrich Tukur
Die Seerose im Speisesaal

Venezianische Geschichten
www.list-taschenbuch.de
ISBN 978-3-548-60839-6

Ulrich Tukur ist mit diesem Band eine bezaubernde Hommage an die Lagunenstadt gelungen, wo er seit Jahren lebt. Seine Geschichten sind romantisch, komisch und voller liebenswerter Figuren. Mit unbändigem Vergnügen und einer tiefen Zuneigung nähert er sich den Spuren in dieser Stadt und fügt sie zusammen zu einem poetischen Vexierspiel zwischen Vergangenheit und Gegenwart, Fiktion und Realität.

»Ein Erzähler, wie er im Buche steht.« *Frankfurter Rundschau*

»Ach, wenn Ulrich Tukur sich doch nur entschließen könnte, weiterzuschreiben: Das wären schöne Aussichten.« *NDR Kultur*

List Taschenbuch

L357

Marlen Haushofer
Die Wand

Roman. www.list-taschenbuch.de
ISBN 978-3-548-60571-5

Eine Frau wacht eines Morgens in einer Jagdhütte in den Bergen auf und findet sich eingeschlossen von einer unsichtbaren Wand, hinter der kein Leben mehr existiert ...

Eines der Bücher, »für deren Existenz man ein Leben lang dankbar ist«. *Eva Demski*

»Wenn mich jemand nach den zehn wichtigsten Büchern in meinem Leben fragen würde, dann gehörte dieses auf jeden Fall dazu.« *Elke Heidenreich* in *Lesen!*

List Taschenbuch

L191